SE05

Bombero/a de aeropuerto (AENA)

Octubre 2022

Bombero/a de aeropuerto (AENA)

Pruebas físicas

DAVID SOTELINO LÓPEZ

Licenciado en Ciencias de la Actividad Física y el Deporte
Máster en Capacitación Aptitud Pedagógica (CAP)
Profesor de Universidad del Grado de Ciencias de la Actividad Física y del Deporte
Profesor de Universidad en los grados de Educación Infantil y Educación Primaria
Entrenador Nacional Musculación, Fisicoculturismo y Halterofilia
Personal Trainer
Entrenador Nacional de Musculación, Fisicoculturismo y Halterofilia, Natación, Remo, Baloncesto, Rugby y Piragüismo
Preparador físico de opositores a Fuerzas y Cuerpos de Seguridad del Estado
Socorrista acuático y experto en Primeros Auxilios, con dominio de RCP y desfibrilador
Quiromasajista Terapéutico y Deportivo

davidentrenadorpersonal@hotmail.es
www.davidsotelino.com
facebook.com/davidsotelinoentrenadorpersonal
twitter.com/@dsotelinopt
youtube: david sotelino entrenador personal
instagram.com/davidsote_entrenadorpersonal/

Primera edición, octubre 2022 (288 páginas)
Derechos de edición reservados a favor de 7 Editores
IMPRESO EN ESPAÑA
Diseño Portada: 7 Editores
Edita: 7 Editores
Avda. San Francisco Javier, 9 · Edificio Sevilla 2 · Planta 11 · Módulos 25-27 · 41018 Sevilla
Teléfono: 954 784 411 · WEB: www.mad.es · e-mail: administracion@7editores.com
ISBN: 978-84-142-6151-4

Presentación

Este libro está dirigido a la preparación de las pruebas físicas para el acceso a plazas de Técnico de equipo y salvamento, bomberos de aeropuerto, convocadas por AENA.

Mediante la realización de un test físico inicial, el aspirante podrá conocer su estado físico actual, identificar su situación de partida y planificar su entrenamiento para la superación de las pruebas físicas.

En el libro se incluyen, además, distintos programas de entrenamiento en función del tiempo disponible, pautas para entrenar cada prueba, orientaciones nutricionales para optimizar el rendimiento y asegurar el éxito y consejos para los días previos a las pruebas.

Esperamos que este material cumpla con su cometido y le ayude a conseguir su objetivo.

Índice

CAPÍTULO 1

Descripción de las pruebas físicas del proceso selectivo

Índice

1. Introducción

Las pruebas que se deberán realizar para el acceso a plazas de Técnico de equipo y salvamento, bombero/a, convocadas por AENA. son numerosas. Por un lado, habrá unas pruebas para evaluar la potencia del tren superior e inferior; por otro lado, existen otras pruebas para determinar la condición física relacionada con el desplazamiento corriendo en el medio terrestre y nadando en el medio acuático:

a) **Potencia de tren superior**:

1. Press de banca.
2. Dominadas.
3. Trepa de cuerda.

b) **Potencia de tren inferior**:

4. Salto con pies juntos (también llamado salto de longitud sin carrera previa o salto horizontal).

c) **Desplazamiento terrestre**:

5. Carrera de velocidad 100 metros.
6. Carrera de fondo o resistencia: 2800 metros para hombres y 2650 metros para mujeres.

d) **Desplazamiento en el medio acuático**:

7. Natación 50 metros.

2. Descripción de las pruebas de aptitud física

Según la localidad o provincia en la que se presente la persona opositora, habrá unas pruebas u otras. Pero las que siempre suelen estar en todas las convocatorias son las siguientes.

2.1. Dominadas

Realizar en un tiempo de 30 segundos, el máximo número de elevaciones consecutivas a pulso en una barra fija, agarrándola con las palmas de ambos ma-

nos hacia el frente, a la altura de los hombros y partiendo con los brazos totalmente extendidos, estando suspendido de la barra. Solo se considerarán como válidas las ejecuciones en las que se rebase la barra con la barbilla y se extiendan los brazos en el descenso; no se podrá soltar la misma hasta terminar el ejercicio. Será motivo de exclusión no realizar un mínimo de 15 repeticiones para hombres y 10 repeticiones para mujeres, en el tiempo establecido.

2.2. Press de banca

Colocado en posición decúbito supino sobre un banco plano, con las rodillas flexionadas y con las plantas de los pies apoyadas en el suelo y sin poder despegar los glúteos del banco, el ejecutante deberá levantar un peso de 40 kg, en un tiempo máximo de 30 segundos, un mínimo de 25 repeticiones consecutivas para hombres y 18 repeticiones para mujeres.

El levantamiento se realizará con ambas manos con agarre ligeramente superior a la anchura de los hombros (los límites de agarre estarán marcados en la barra de levantamiento), en acción de extensión-flexión de los brazos, que se inicia con el contacto de la barra con la parte superior del pecho y termina con la extensión total de los brazos en su proyección vertical. Solamente las repeticiones realizadas en las condiciones que se detallan se considerarán como válidas.

2.3. Trepa de cuerda

Trepar por una cuerda lisa de 6 metros para hombres y 5 metros para mujeres y partiendo de la posición vertical, hasta sobrepasar la marca fijada con ambas manos en un tiempo máximo de 10 segundos. El tope máximo de agarre al inicio de la prueba será de 2 metros. No se considerará como válida aquella ejecución en la que el aspirante se ayude de salto al comenzar el ejercicio, realice presas con las extremidades inferiores al trepar por la cuerda, o tenga los pies en el suelo en el momento del inicio. La prueba se iniciará a las voces consecutivas de "Agarre", "Suspensión" y "Salida".

2.4. Salto horizontal con pies juntos

Saltar con pies juntos, en parado, un mínimo de 2,15 metros para hombres y 1,90 metros para mujeres. El aspirante se situará detrás de la línea de marca completamente parado, con los pies a la misma altura y ligeramente separados. A partir de esta posición y separando los pies de manera simultánea, saltará tan lejos como pueda. La distancia se medirá en centímetros desde la parte anterior de la línea hasta la marca posterior hecha por el saltador tomándose a parte del cuerpo más atrasada y próxima a la línea de salida. Se dispondrá de un máximo de 2 intentos para la realización de este ejercicio, permitiéndose el ballesteo de piernas y levantar los talones, siempre y cuando no haya desplazamiento o se pierda totalmente el contacto de alguno de los pies con el suelo, en cuyo caso, la ejecución no será considerada como válida. Tampoco será considerada como válida aquella ejecución en la que el aspirante inicie el salto antes de la orden, no lo haga desde parado, no supere la marca correspondiente o no salte simultáneamente con los dos pies.

2.5. Carrera de velocidad 100 metros

Recorrer una distancia de 100 metros, en un tiempo máximo de 13,7 segundos para hombres y 15 segundos para mujeres. Se permitirá realizar la salida de pie o agachados, pero sin tacos de salida. Será motivo de exclusión del candidato incurrir en más de una salida nula.

2.6. Carrera de fondo o resistencia: 2800 metros (hombres) y 2650 metros (mujeres)

Recorrer una distancia de 2800 metros para hombres y 2650 metros para mujeres, en un tiempo máximo de 12 minutos.

2.7. Natación 50 metros

Nadar una distancia de 50 metros, sin apoyarse en el fondo de la piscina, ni agarrarse en parte alguna, en un tiempo máximo de 48 segundos para hombres y 52 segundos para mujeres. Se deberá tocar la pared en cada largo de la piscina, permitiéndose giros y patada en pared al realizar los mismos. La salida se realizará desde dentro de la piscina. Será motivo de exclusión del candidato incurrir en más de una salida nula. Se considerará que no es válida la realización cuando en algún momento del recorrido el aspirante se apoye a descansar en algún lugar

de la pileta, tal como las corcheras o los bordes; cuando toque o descanse los pies en el suelo o cuando se pare a descansar aunque lo haga sin apoyarse en las corcheras.

En cualquier momento, la Comisión de Valoración podrá requerir la realización de un control antidoping, de acuerdo a los criterios establecidos por la Federación Española de Atletismo, siendo eliminados aquellos aspirantes que dieran resultado positivo.

La valoración de cada ejercicio se realizará individualmente, asignando los siguientes mínimos y máximos puntos a las pruebas y distribuyendo el resto de valoraciones proporcionalmente a los tiempos, centímetros o repeticiones empleados, en función de la prueba.

Prueba	Hombres		Mujeres	
	Mínimo – 2,5 Puntos	Máximo – 5 puntos	Mínimo – 2,5 Puntos	Máximo – 5 puntos
1 . Press de Banca (40 Kg. en 30")	25 Repet.	40 Repet.	18 Repet.	33 Repet.
2. Dominadas (30")	15 Repet.	25 Repet.	10 Repet.	20 Repet.
3. Trepa de Cuerda	10 "(6 metros)	5 " (6 metros)	10 " (5 metros)	5 " (5 metros)
4. Salto pies juntos	2,15 metros	2,85 metros	1,90 metros	2,60 metros
5. Velocidad (100 m.)	13,7 "	12,5 "	15 "	13,8 "
6. Fondo	12' (2800 m.)	10' (2800 m.)	12' (2650 m.)	10' (2650 m.)
7. Natación (50 m.)	48"	38"	52"	42"

Tabla de puntuación de las pruebas físicas

Para la transformación de los tiempos, centímetros y repeticiones realizadas en puntos, se tendrá en cuenta la fórmula que se detalla a continuación:

$$P= (2,5 (X + O) - 5M)/ (O - M)$$

donde: M: tiempo máximo de realización o número mínimo de repeticiones O: tiempo mínimo de realización o número máximo de repeticiones (ver tabla: puntuación máxima) X: tiempo de realización de cada aspirante o número de repeticiones realizadas por cada aspirante (con independencia del resultado de aplicar esta fórmula, la puntuación máxima que podrá obtener el aspirante en cada prueba será de 5 puntos).

CAPÍTULO 2

Preguntas frecuentes

Índice

1. ¿Quién se puede presentar a las oposiciones para el acceso a plazas de Técnico de equipo y salvamento, bombero/a, convocadas por AENA?

Todo el que cumpla los requisitos que se exigen en la convocatoria.

2. ¿Todo el mundo puede llegar a aprobar los exámenes físicos?

Así es, podrá hacerlo todo aquel que se lo proponga y entrene para ello. Las pruebas físicas evalúan el rendimiento físico y motor, siendo ello necesario para desarrollar la labor de Bombero.

3. ¿Cómo se pueden superar las pruebas físicas?

La forma de aprobar es entrenando. Por muy baja que sea la condición física, con esfuerzo y dedicación se mejora y consigue una buena nota. Para ello, bastará con seguir las indicaciones que se dan en este libro.

4. ¿En cuánto tiempo se pueden preparar con éxito las pruebas físicas?

Va a depender del nivel de condición física inicial pero las marcas de las pruebas físicas para Bombero son mucho más exigentes que las de otros cuerpos de seguridad. En términos generales, es necesario sobre un año de preparación. En algún caso se necesitará más tiempo, dependiendo de la genética y la capacidad de asimilación del entrenamiento deportivo (no todas las personas mejoran al mismo ritmo).

5. ¿Cómo se puede saber el estado de forma física inicial?

A través de los test de valoración anatómica e inicial que se incluyen en los capítulos 8 y 9 del libro, cada aspirante podrá evaluar su estado físico anatómico y la condición física que tiene en relación a las pruebas que se piden en la oposición.

6. ¿Qué es necesario para llevar a cabo los entrenamientos?

Sobre todo, ganas y algo de tiempo. Para preparar las pruebas se requiere ropa adecuada e instalaciones deportivas, así como unas pautas de entrenamiento que garanticen la mejora y eviten posibles lesiones.

7. ¿Todas las pruebas son susceptibles de mejora?

Por supuesto. Si se entrenan correctamente, se progresará en cada una de las pruebas físicas. Puede haber alguna que cueste más trabajo, pero con esfuerzo y constancia se obtendrán mejores resultados.

CAPÍTULO 3

Conceptos fundamentales

En este capítulo se definen las palabras técnicas que se usan a lo largo del libro:

- **Aceleración**: capacidad de aumentar la velocidad de un cuerpo en cierto tiempo. Puede consistir en pasar de una situación sin movimiento a otra en la que se adquiere cierta velocidad. O bien, puede conllevar a un aumento de la velocidad actual, consiguiendo con ello una nueva velocidad mayor.

- **Ácido láctico**: sustancia que se forma en la sangre debido a la falta de oxígeno en los músculos al realizar un ejercicio físico de alta intensidad.

- **Alimentación**: ingestión de sustancias por parte de los organismos de los seres vivos para conseguir energía y desarrollarse. Puede ser objeto de fines nutricionales y psicológicos, implicando con estos últimos una simple satisfacción y obtención de sensaciones gratificantes.

- **Anabolismo**: proceso del metabolismo de construcción de moléculas grandes a partir de otras más pequeñas. Ejemplo: formación de proteína a partir de aminoácidos, con el fin de formar nuevas células.

- **Carga**: medida de trabajo de entrenamiento desarrollado. Se contabiliza por medio del volumen y la intensidad.

- **Catabolismo**: proceso inverso al anabolismo, en el cual hay una destrucción de moléculas grandes formándose moléculas más pequeñas. Esto sucede al estar muchas horas sin ingerir alimento, lo cual no es nada recomendable ya que se destruye tejido muscular o, al menos, no se favorece a su crecimiento.

- **Contracción (muscular)**: proceso fisiológico en el cual un estímulo previo hace que los músculos desarrollen tensión y se acorten (contracción isotónica concéntrica), se estiren (contracción isotónica excéntrica) o permanezcan en la misma posición (contracción isométrica). Ejemplo de contracción isotónica concéntrica: flexiones de brazo, extensión de codos (fase positiva o de subida). Ejemplo de contracción isotónica excéntrica: flexiones de brazo, flexión de codos (fase negativa o de bajada). Ejemplo de contracción isométrica: suspensión en barra.

Contracción del gemelo

- **Cualidades físicas básicas**: fuerza, resistencia, velocidad y flexibilidad.
- **Definición (muscular)**: pérdida de grasa corporal con fines estéticos (marcar más los músculos) o funcionales (estar más ligero para la realización de las pruebas físicas).
- **Densidad**: relación temporal entre la fase de trabajo y la de recuperación. Es el descanso que toma la persona para poder tener un mejor aprovechamiento de su actividad física. Ejemplo: un entrenamiento de 40 minutos de duración, de los cuales 5 minutos se han utilizado para descansar es un entrenamiento más denso que uno de la misma duración pero que ha tenido 10 minutos de descansos.
- **Deporte**: actividad física reglada (tiene normas) e institucionalizadas (esas normas están estandarizadas).
- **Duración**: tiempo en el que se desarrolla un ejercicio físico. Ejemplo: 20 minutos de carrera continua.
- **Ejercicio físico**: movimiento consciente y sistemático que mantiene y/o mejora la condición física y la salud.

- **Entrenamiento deportivo**: consiste en la ejercitación y preparación fisiológica para soportar cargas físicas que provocan una adaptación funcional o morfológica. Según Matvéiev, *"El entrenamiento deportivo es la forma fundamental de preparación del deportista, basada en ejercicios sistemáticos y la cual representa, en esencia, un proceso pedagógicamente con el objeto de dirigir la evolución del deportista (su perfeccionamiento deportivo)".*

- **Flexibilidad**: capacidad física básica que consiste en el estiramiento de los músculos del cuerpo. Ejemplo: de pie apoyando una pierna en un banco a 90º, paralela al suelo, hacer flexión de tronco inclinándose hacia delante (flexibilidad de los isquiotibiales).

Estiramiento para mejorar la flexibilidad

- **Frecuencia cardiaca**: pulsaciones por minuto que realiza el corazón para bombear sangre a los músculos. Ejemplo: 150 pulsaciones / minuto.

- **Frecuencia cardiaca máxima (FC máx.)**: dato teórico obtenido de la fórmula 220 – edad, con el cual se supone que las pulsaciones de un deportista no sobrepasarían de ese resultado ni con un gran esfuerzo (hay excepciones en muchas personas). A partir de este dato se aplican porcentajes para determinar intensidades de esfuerzo. Ejemplo: FC máxima de un chico de 20 años = 220 – 20 años = 200 pulsaciones por minuto. Carrera continua al 70 % de la FC máxima = 200 x 0.70 = 140 puls/min.

- **Fuerza (muscular)**: capacidad física básica que consiste en la superación de una resistencia externa o interna mediante una contracción muscular.

Ejercicio de fuerza superando una resistencia

- **Hipertrofia**: aumento de masa muscular. Se produce un ensanchamiento de los músculos, normalmente acompañado de una ganancia de peso corporal (no siempre libre de grasa).

- **Intensidad**: valor cualitativo del ejercicio físico, medido en esfuerzo muscular. Es el grado de concentración y dificultad de un ejercicio en una unidad de tiempo. Ejemplo: pulsaciones por minuto, velocidad (km/h), ritmo de carrera (4 minutos/km), grado de esfuerzo a la hora de realizar el circuito de agilidad, porcentaje de kg levantados respecto al máximo posible, grado de esfuerzo para llegar a las últimas repeticiones realizadas en una serie de flexiones de brazo.

- **Mantenimiento**: fase de afianzamiento de los resultados obtenidos con una dieta y/o ejercicio físico, evitando así el efecto rebote y la regresión al peso y características corporales anteriores no deseadas (porcentaje de músculo y grasa).

- **Mecanismo de defensa**: forma en que el organismo trata de evitar un ataque. En términos de nutrición, se refiere al hecho preventivo de acumular grasa para utilizarla en un futuro como forma de energía en el caso de necesitarla y no disponer de ella. Esto es lo que sucede cuando se entra en fase catabólica (catabolismo) por estar demasiado tiempo sin ingerir alimento. Ejemplo: los osos se alimentan en exceso para prevenir la falta de ingesta de alimentos en los periodos de hibernación.

- **Metabolismo**: conjunto de reacciones y procesos sucedidos en las células y en el organismo que permiten diversas actividades: crecer, reproducirse, responder a estímulos, etc.

- **Nutrición**: aprovechamiento de los nutrientes, manteniendo el equilibrio interno del organismo.

- **Tasa metabólica basal**: valor mínimo de energía para que un organismo lleve a cabo las funciones vitales básicas: respiración, digestión, etc. Ejemplo: 1000 kilocalorías diarias gastadas en reposo (mujer de 30 años con 55 kilogramos de peso corporal).

- **Parcial**: tiempo que se tarda en recorrer una determinada distancia. Ejemplo: en una carrera de 1000 metros, con 5 parciales de 200 metros, podrían ser 50´´, 45´´, 48´´, 46´´ y 40´´.

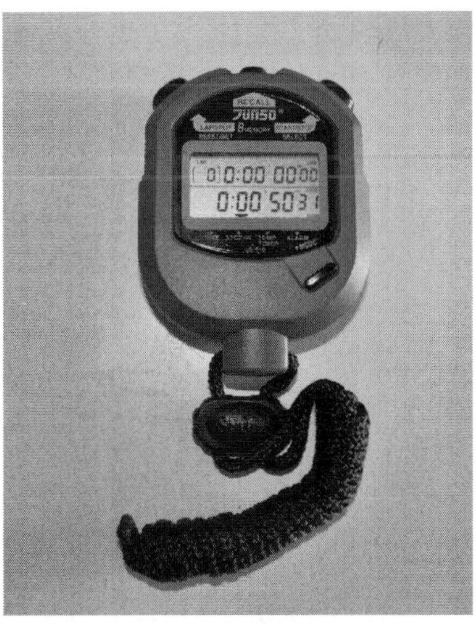

Parcial en un cronómetro

- **Parcial acumulativo**: consiste en la suma del tiempo parcial que engobla el tiempo total para recorrer una determinada distancia. Ejemplo partiendo del resultado del ejemplo anterior: 50´´ (200 metros), 1,35´´ (paso por los 400 m), 2,23´´ (paso por los 600 m), 3,09´´ (paso por los 800 m) y 4,09´´ (paso por los 1000 m).

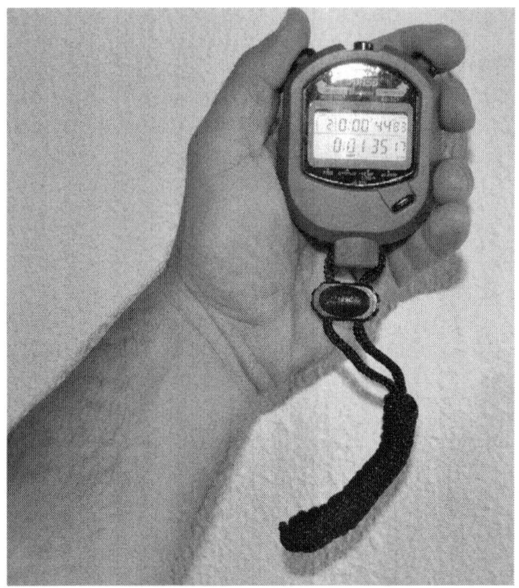

Parcial acumulado en un cronómetro de mano

- **Planificación**: gestión para obtener un determinado objetivo a corto, medio o largo plazo.

- **Preparación deportiva**: *"un proceso multifacético de utilización racional del total de factores (medios, métodos y condiciones) que permite influir de manera dirigida sobre el crecimiento del deportista y asegurar el grado necesario de su disposición a alcanzar elevadas marcas deportivas"*, planteando al proceso de entrenamiento como *"la forma principal de poner en práctica la preparación de deportista basada en la ejercitación sistemática y la cual representa en esencia un proceso organizado pedagógicamente con el objeto de dirigir la evolución del deportista (su perfeccionamiento deportivo)"*, según Matvéiev.

- **Pulsómetro**: aparato que sirve para medir la frecuencia cardíaca contando las pulsaciones por minuto del corazón.

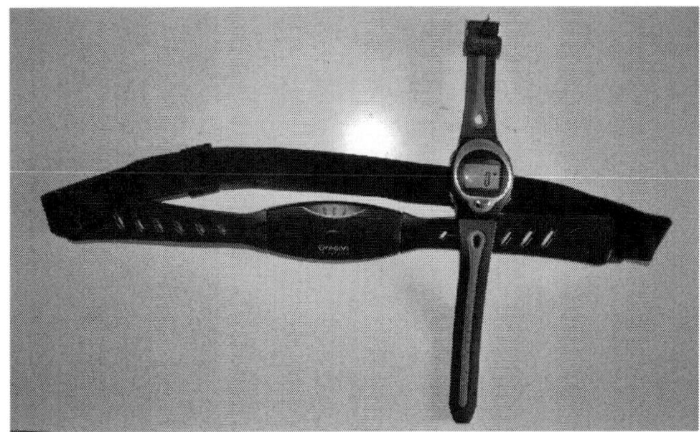

Pulsómetro con banda

- **Recuperación**: descanso producido entre ejercicios físicos, normalmente entre series. Hay dos tipos: pasiva (descansado de pie o sentado) y activa (caminando, trotando lentamente, haciendo abdominales, etc.). Ejemplo: 2 minutos entre series de 500 metros de carrera.
- **Repetición**: número de veces que se realiza un determinado ejercicio. Ejemplo: 10 dominadas.
- **Resistencia**: capacidad física básica que consiste en el mantenimiento de un esfuerzo físico durante el mayor tiempo posible.
- **Ritmo**: sucesión regular de movimientos que se repite en un periodo de tiempo determinado. Ejemplo: en una carrera de 10 km realizada en 50 minutos, el ritmo es 5 minutos cada km (ritmo medio).
- **Serie**: conjunto de repeticiones realizadas. Ejemplo: 10 dominadas componen 1 serie. 4 x 10 se referiría a 4 series de 10 repeticiones cada una (total 40 dominadas).
- **Somatotipo**: sistema diseñado para clasificar el tipo corporal o físico. Es utilizado para estimar la forma corporal y su composición. Se utiliza como instrumento en las evaluaciones de la aptitud física en función de la edad y el sexo.
- **Test**: realización de una prueba física con el fin de conocer su resultado. Ejemplo: test de suspensión en barra con resultado de 35 segundos de duración.

- **Velocidad**: capacidad física básica que consiste en desplazarse de un sitio a otro o mover una carga en una unidad de tiempo. Ejemplo: carrera continua a 10 km/hora.

- **Volumen**: valor cuantitativo del ejercicio físico, medido en distancia recorrida, tiempo de duración, número de repeticiones del circuito de agilidad, kilogramos levantados, repeticiones realizadas, dominadas o suspensión en barra. Ejemplo: metros recorridos durante la carrera, dominadas realizadas, segundos suspendidos en barra, etc.

- **Vueltas**: referido al número de veces que se repite un circuito de ejercicios de musculación. Ejemplo: con 3 ejercicios (1, 2 y 3) y 12 repeticiones en cada uno. Si se habla de hacer 3 vueltas al circuito, se deberá realizar 12 repeticiones del ejercicio 1, 12 del ejercicio 2 y 12 del ejercicio 3. Así dos veces más por este orden, con el fin de completar el recorrido de 3 rondas.

CAPÍTULO 4

Las cualidades físicas básicas

Índice

1. Introducción

Las cualidades físicas principales son las siguientes:

- Fuerza.
- Resistencia.
- Velocidad.
- Flexibilidad.

Existen otras cualidades pero son una combinación de estas últimas (agilidad, coordinación, etc.).

2. Fuerza

Consiste en la superación de una resistencia externa o interna mediante una contracción muscular.

Tipos:

- **Fuerza máxima**: realización de una contracción voluntaria que implica un desarrollo de la fuerza total de una persona. Puede ser estática o dinámica. Ejemplo: arrancada de halterofilia.
- **Fuerza veloz**: superación de una resistencia con una elevada rapidez de contracción. Ejemplo: lanzamiento de jabalina.
- **Fuerza resistencia**: capacidad para oponerse a la fatiga en el desarrollo repetido de fuerza. Ejemplo: natación.

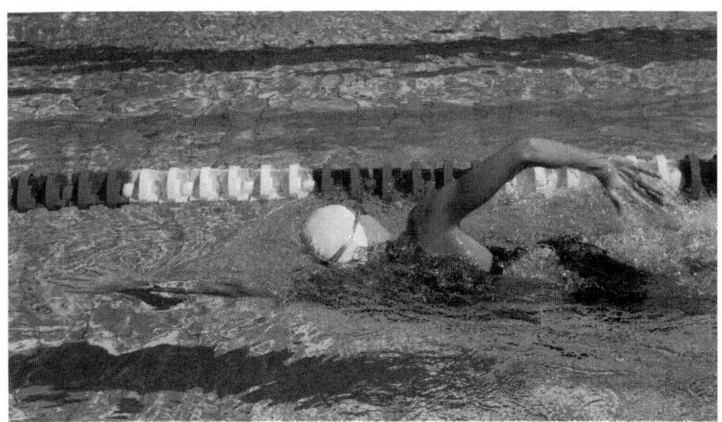

3. Resistencia

Es la capacidad física básica que consiste en el mantenimiento de un esfuerzo físico durante el mayor tiempo posible.

Tipos:

- **Resistencia aeróbica**: trabajo de larga duración y baja/media intensidad, con predominio de oxígeno suficiente. Ejemplo: carrera continua durante 45 minutos al 70 % de la FC Máxima.
- **Resistencia anaeróbica**: trabajo de más corta duración y alta intensidad, con abastecimiento de oxígeno insuficiente. Hay dos tipos:
    * Anaeróbica **láctica**, si se acumula ácido láctico en el músculo. Ejemplo: serie de 400 metros corriendo.
    * Anaeróbica **aláctica**, cuando no se acumula dicho residuo. Ejemplo: carrera de 50 metros lisos.

 Recuerda que...

El ácido láctico es una sustancia que se forma en la sangre debido a la falta de oxígeno en los músculos al realizar un ejercicio físico de alta intensidad.

4. Velocidad

Consiste en desplazarse de un sitio a otro o mover una carga en una determinada unidad de tiempo.

Tipos:

- **Velocidad de reacción**: capacidad de responder a un determinado estímulo en una unidad de tiempo. Ejemplo: comenzar la carrera de 50 metros cuando suena la señal del examinador.

- **Velocidad de desplazamiento**: rapidez con la que se recorre una distancia. Ejemplo: carrera a 5 minutos/km.

- **Velocidad gestual**: cualidad que nos permite realizar un movimiento corporal en un determinado espacio de tiempo. Ejemplo: secuencia de golpes directos por parte de un boxeador.

5. Flexibilidad

Es la capacidad de elongación que tiene el cuerpo, en concreto los músculos y las articulaciones, sin llegar a dañarse.

Tipos:

- **Estática**: es la que se mantiene en el tiempo tras adoptar una determinada posición corporal. Ejemplo: estiramiento de cuádriceps llevando el talón al glúteo y aguantando la posición.

- **Dinámica**: consiste en la realización de rebotes llegando o pasando del rango de una articulación. Hoy en día está en desuso ya que se ha comprobado que puede producir lesiones. Ejemplo: estiramiento de los isquiotibiales de pie, a pies juntos, haciendo rebotes.

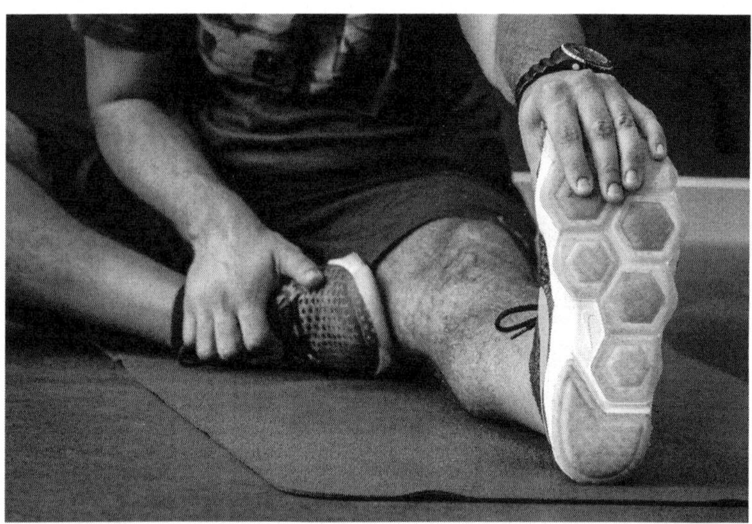

CAPÍTULO 5

Principios del entrenamiento deportivo

Índice

1. Introducción

Es conveniente tener una base teórica para comprender la planificación y organización de los contenidos de este libro. Para ello, se explicarán los nueve principios del entrenamiento deportivo.

Estos son importantes para tener éxito en el proceso del entrenamiento, evitando estancamientos, retrocesos, lesiones, etc.

2. Principio de individualidad

Cada persona asimila de forma distinta el mismo entrenamiento, ya que existen una serie de factores subjetivos:

- Herencia genética.
- Maduración de los huesos y músculos.
- Nutrición.
- Descanso y sueño.
- Nivel de condición física.
- Motivación.

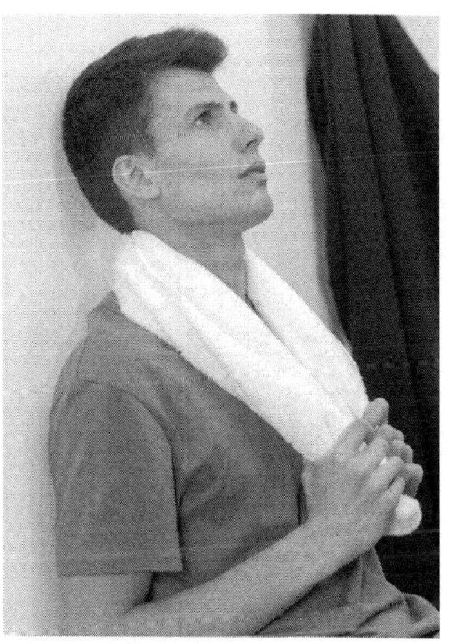

3. Principio de adaptación

Es el proceso de **asimilación de la carga** de entrenamiento. Por medio de él, se producen mejoras en:

- La función del corazón, circulación y respiración.
- La fuerza y resistencia muscular.
- Los huesos, tendones y ligamentos.

4. Principio de sobrecarga

Una **carga de trabajo mayor a la que el cuerpo está acostumbrado** producirá una mejora del nivel de preparación del deportista.

Existen tres factores que influyen en el ritmo de mejora:

- Frecuencia.
- Intensidad.
- Tiempo de duración.

5. Principio de progresión

La intensidad, frecuencia y duración de los ejercicios debe **aumentarse poco a poco y de forma continua**.

Este principio también comprende la progresión de:

- Lo general... a lo específico.
- Las partes... a la totalidad.
- La cantidad... a la calidad.

6. Principio de la especificidad

Los efectos del entrenamiento serán propios y determinados según el sistema de energía, grupo muscular y tipo de movimiento de cada articulación que se trabaje.

El rendimiento mejora más cuando **el entrenamiento es especializado y concreto a la actividad**.

7. Principio de la variación

Un **programa de entrenamiento debe ser diferente** para evitar el aburrimiento y alcanzar resultados.

Deberá existir la siguiente alternancia:

Trabajo/descanso...... Intenso/ligero

No se debe trabajar con ritmo intenso todos los días de la semana. De 2 a 4 días por semana serían el máximo aconsejable. Los días de recuperación variarán entre el trabajo de ligera o moderada intensidad.

8. Principio del calentamiento y vuelta a la calma

El **calentamiento** debe preceder toda actividad intensa con el fin de:

- Aumentar la temperatura corporal.
- Incrementar el ritmo respiratorio y las pulsaciones.

A través de una **vuelta a la calma** con una ligera actividad después del trabajo intenso, se favorecerá la acción de bombeo de sangre y la renovación de los productos de desechos en la sangre (por ejemplo, la eliminación de ácido láctico acumulado).

9. Principio de entrenamiento a largo plazo

No se debe acelerar el proceso de entrenamiento deportivo. Hay que respetar las etapas de maduración del cuerpo humano. El buen camino implica un programa de entrenamiento a largo plazo, sin presiones ni especialización prematura.

10. Principio de acción inversa

Los efectos positivos del entrenamiento deportivo son reversibles. La mayoría de las adaptaciones logradas se pueden perder en menos tiempo del empleado para ganarlas.

Como ejemplo, se dice que se necesita tres veces más tiempo para ganar resistencia que para perderla. La fuerza desciende más lentamente, pero el hecho de no utilizarla causará atrofia aun en los músculos mejor entrenados.

Sabías que...

Hay estudios que confirman que la condición física disminuye a un ritmo de cerca del 10 % por semana con descanso completo en la cama.

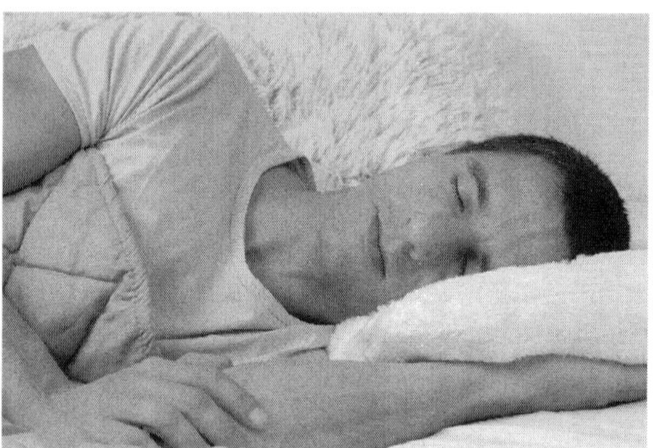

Recuerda que...

Los programas de entrenamiento deben diseñarse de acuerdo con los siguientes principios:

- Adaptarse a las diferencias individuales.
- El efecto de entrenamiento se establece cuando el cuerpo se ha adaptado a la sobrecarga del mismo.
- Hay que sobrecargar al deportista.
- Hay que utilizar progresiones.
- Los efectos de entrenamiento son específicos al tipo de estímulo que se utilice en las tareas.
- La adaptación se logra cuando el trabajo va seguido de descanso.
- El calentamiento y la vuelta a la calma deben ser parte del entrenamiento.
- No se debe acelerar el proceso de entrenamiento.
- Los efectos del entrenamiento son reversibles.

CAPÍTULO 6

Vías metabólicas de obtención de energía y nutrientes necesarios

Índice

1. Introducción

La energía (en forma de ATP) se puede obtener de los hidratos de carbono, de las proteínas y de las grasas. Además hay otros elementos coadyuvantes necesarios para vías de obtención de energía en nuestro organismo, como son determinados minerales (hierro, calcio, magnesio...) y vitaminas.

Existen tres vías metabólicas para la obtención de energía según el tipo de ejercicio que realicemos. Debemos saber que cualquiera que sea la actividad que se desarrolle, con la intensidad que sea, las tres vías metabólicas van a coexistir, pero en diferente proporción, predominando unas sobre otras.

2. Vía anaeróbica aláctica

Es capaz de proporcionar ATP de forma ultrarrápida. Es una vía metabólica en la cual el ATP ya está formado, y simplemente se tiene que realizar hidrólisis para obtener la energía.

No precisa de oxígeno (es una vía anaeróbica) ni de ningún sustrato energético (el ATP ya está formado).

Esta vía de obtención de energía predomina casi en exclusiva en esfuerzos de elevada intensidad (explosivos) y de corta duración. Por ejemplo: una carrera de 100 metros lisos, donde se necesita mucha energía, y de forma muy rápida.

Esta vía es muy limitada en cuanto a disponibilidad, ya que los "depósitos" se agotan, por lo que solo es útil para este tipo de ejercicios intensos y de corta duración.

Sprint

3. Vía anaeróbica láctica

En este caso, tampoco se precisa de oxígeno para producir ATP (es también una vía anaeróbica).

En cuanto a la velocidad de producción del ATP, es bastante rápida aunque no tanto como la vía anterior, en la que el ATP ya estaba formado.

Es cuantitativamente pobre en cuanto a producción de ATP, ya que por cada mol de sustrato (1 glucosa), se obtiene escasa cantidad de ATP. El sustrato necesario en este caso para la producción de ATP es la GLUCOSA.

En esta vía, como su propio nombre indica, se produce ácido láctico, que puede llevar a fatiga periférica o fatiga muscular.

Esta vía se emplearía en el caso de ejercicios que requieran de **esfuerzos de elevada intensidad**. El sustrato energético fundamental es la glucosa, y esta vía supone más del 50 % de la producción de ATP en este tipo de ejercicios que van a producir fatiga.

4. Vía aeróbica

En esta vía de obtención de energía se produce gran cantidad de ATP, por lo que cuantitativamente es muy importante. Pero ese ATP se produce de forma lenta, por lo que cualitativamente es pobre.

Precisa además necesariamente oxígeno (aeróbica) para la producción de ATP.

En este caso, se puede utilizar cualquier sustrato energético, no solo hidratos de carbono (glucosa), sino también grasas (en forma de ácidos grasos libres) y proteínas (en forma de aminoácidos).

Caminar

Esta vía para la producción de energía predomina en el caso de esfuerzos que se toleran bien, realizados durante un tiempo prolongado, sin generar fatiga (**esfuerzos**

por debajo del umbral anaeróbico). Puede utilizar como ya se ha dicho, tanto hidratos de carbono, como grasas, como proteínas. Aunque se debe saber que fundamentalmente utiliza grasas. Un ejemplo claro es andar.

Como norma general podemos clasificar los sustratos para la producción de energía por orden de importancia:

1.º Hidratos de carbono.

2.º Grasas.

3.º Proteínas.

CAPÍTULO 7

Músculos implicados en la ejecución de las pruebas físicas

Índice

1. Introducción

A continuación se explicará la acción muscular que se realiza en cada una de las pruebas físicas principales de las oposiciones para el acceso a plazas de Técnico de equipo y salvamento, bombero/a, convocadas por AENA.

El cuerpo está formado por un conjunto de huesos, músculos y articulaciones.

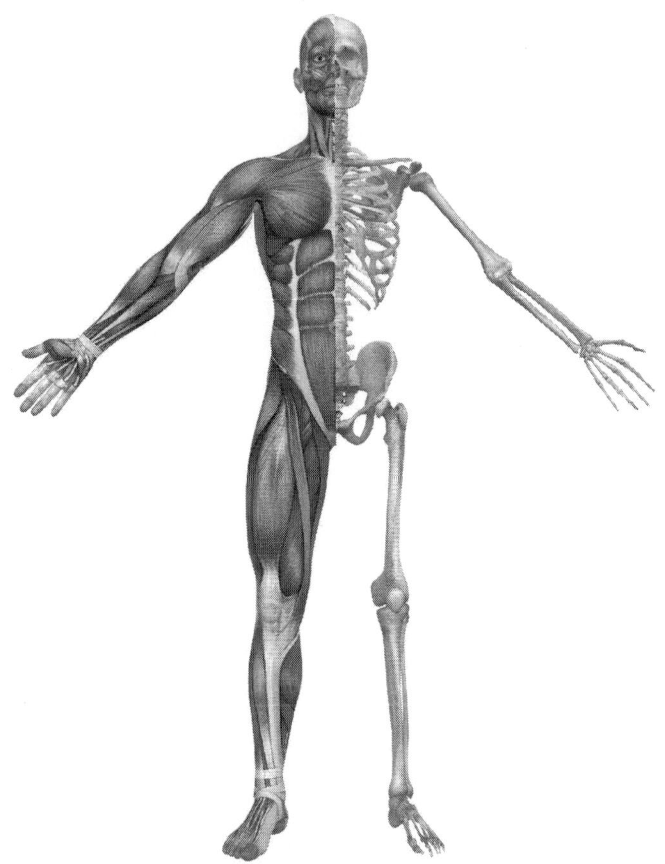

La columna vertebral sirve de sostén y nexo de unión entre el tren superior y el inferior. A través de ella, la cabeza, las extremidades superiores (brazos) y las inferiores (piernas) se unen con el tronco y conforman todo el conjunto de huesos.

Dichas extremidades están enlazadas por articulaciones, que a su vez se sostienen por medio de tendones y ligamentos.

Para mover todo el conjunto de huesos existen los músculos y, por medio de ellos, se puede realizar acciones como andar, correr, saltar, empujar, etc.

A continuación, se analizarán las principales partes del cuerpo humano que ayudarán a la realización de las siete pruebas físicas del proceso de selección para el ingreso en el Cuerpo de Bomberos.

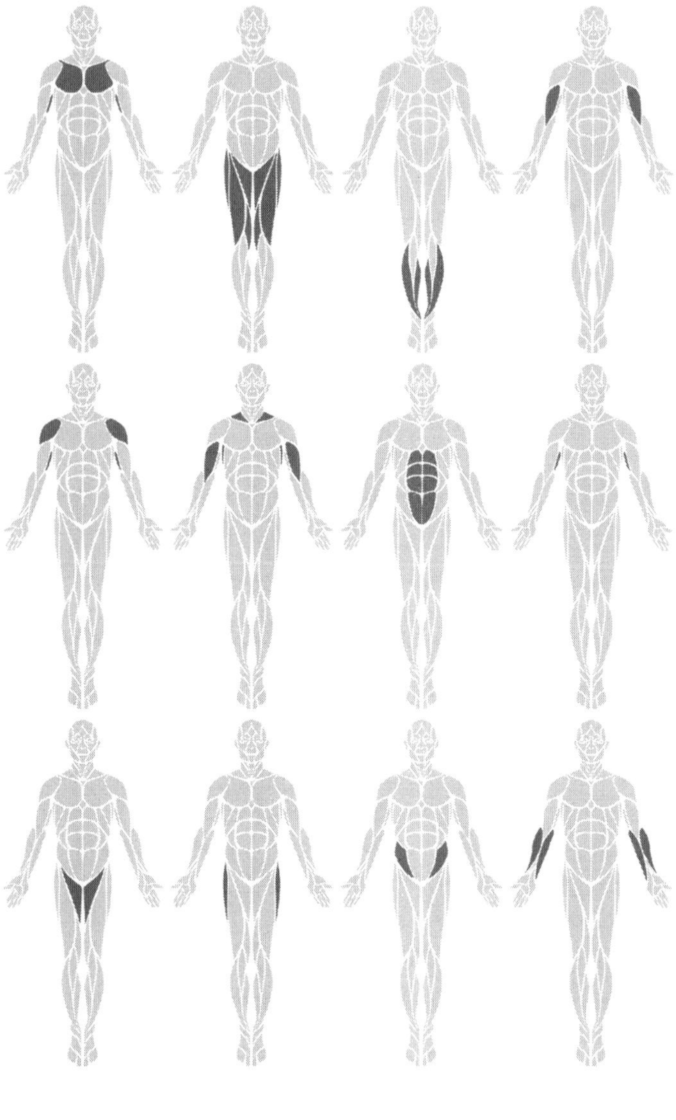

2. Dominadas

Es una prueba que evalúa la fuerza flexora de los brazos, entre otros segmentos corporales.

Los principales músculos implicados son el dorsal ancho y el bíceps braquial.

También participan el braquial anterior, el supinador, la porción baja del dorsal ancho, el antebrazo y los flexores de los dedos.

En menor medida, también participa el deltoides posterior.

Asimismo, los abdominales y lumbares trabajan para mantener una buena posición corporal.

Dominadas en barra

3. Press de banca

Es una prueba que evalúa la fuerza extensora de los brazos. Los principales músculos implicados son el pectoral y el tríceps.

Press de banca

En menor medida, también participa el deltoides anterior.

Asimismo, los abdominales y lumbares trabajan para mantener una buena posición corporal.

4. Trepa de cuerda

Esta prueba evalúa la fuerza flexora de los brazos, entre otros segmentos corporales.

Los principales músculos implicados son el dorsal ancho y el bíceps braquial.

También participan el braquial anterior, el supinador, la porción baja del dorsal ancho, el antebrazo y los flexores de los dedos.

En menor medida, también participa el deltoides posterior.

A la hora de realizar la patada, el psoas ilíaco y los abdominales son los grandes protagonistas.

Trepa de cuerda

5. Salto horizontal con pies juntos

Es una prueba que evalúa la potencia del tren inferior por medio de un movimiento explosivo de piernas y brazos. Los principales músculos implicados son los cuádriceps, psoas ilíaco, isquiotibiales y gemelos.

La zona central del cuerpo, abdominales y lumbares, interviene a la hora de crear impulso. Asimismo, también influye positivamente el movimiento de balanceo de brazos.

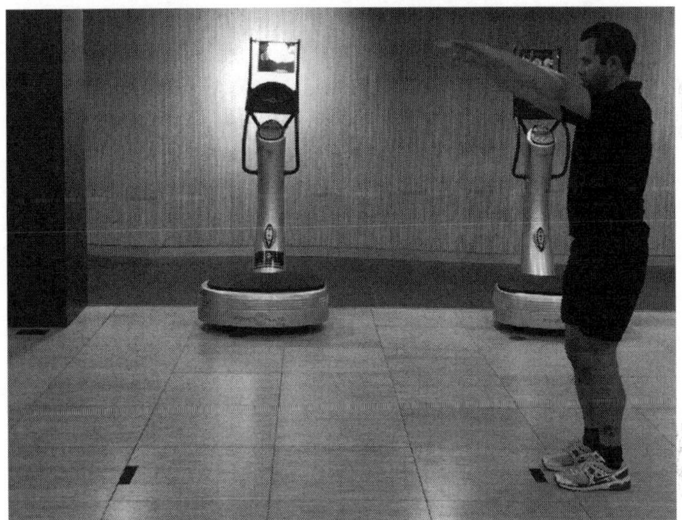

Salto de longitud

6. Carrera de velocidad. 100 metros

Dado que es una prueba de velocidad, hay una gran exigencia a nivel muscular.

Mayoritariamente, los músculos que más repercusión tienen son los de las piernas, aunque las brazadas del tren superior también tienen cierta importancia:

- Principales: cuádriceps, isquiotibiales, psoas ilíaco, gemelo, tibial anterior, sóleo y glúteo.
- Secundarios: pectoral, deltoides anterior, dorsal y deltoides posterior.

Cabe decir que la técnica de carrera de la prueba de velocidad varía respecto a la de fondo. Hay una mayor frecuencia de movimientos y se busca amplitud de los pasos, una vez adquirida cierta velocidad. La elevación de rodilla y talón son mucho mayores que en la carrera de mayor distancia.

Prueba de velocidad

7. Carrera de fondo o resistencia. 2800 metros (hombres) o 2650 metros (mujeres)

Esta es una prueba de resistencia muscular y de resistencia aeróbica.

Carrera de resistencia

A grandes rasgos, los músculos que intervienen en el buen desarrollo de esta prueba son los siguientes:

- Principales: cuádriceps, isquiotibiales y gemelos.
- Secundarios: psoas ilíaco y glúteo.

El corazón tiene un gran protagonismo ya que debe bombear la suficiente sangre para que los músculos implicados puedan ejercer los movimientos pertinentes.

8. Natación 50 metros

En el medio acuático el desplazamiento se realiza con la ayuda de todo el cuerpo. Por ello se dice que la natación es uno de los deportes más completos. No obstante, hay músculos más importantes que otros.

Prueba en el medio acuático

En esta prueba el estilo a utilizar es libre, siendo más común el llamado crol, ya que es el más rápido. Los músculos del tren superior tienen una función propulsora y la musculatura del tren inferior más bien estabilizadora, es decir, ayudan a mantener una buena posición hidrodinámica para un eficiente deslizamiento (horizontal y paralela a la superficie). Las piernas ayudan en el desplazamiento, pero más bien poco.

Los músculos que intervienen en la ejecución de esta prueba son estos:

- Principales: dorsal ancho, pectoral, tríceps, bíceps, deltoides anterior y posterior.
- Secundarios: abdominales, lumbares, cuádriceps, isquiotibiales, gemelos, psoas ilíaco y glúteo.

CAPÍTULO 8

Test de valoración anatómica

Índice

1. Índice de Masa Corporal (IMC)

El IMC es el índice de masa corporal y **relaciona el peso y la altura** mediante la siguiente fórmula:

IMC= peso (kg)/altura^2 (m)

Del resultado de esta división salen los siguientes resultados e interpretaciones:

<16.00: Infrapeso, delgadez severa.

16.00 - 16.99: Infrapeso, delgadez moderada.

17.00 - 18.49: Infrapeso, delgadez aceptable.

18.50 - 24.99: Peso normal.

25.00 - 29.99: Sobrepeso.

30.00 - 34.99: Obesidad grado I.

35.00 - 40.00: Obesidad grado II.

>40.00: Obesidad grado II (mórbida).

Recuerda que...

La densidad de la masa muscular es mayor que la de la masa grasa. Por lo tanto, aunque se pierda mucha grasa, si se gana músculo, el peso corporal puede seguir siendo el mismo o incluso mayor que antes.

Un **IMC bajo** se debe a la desnutrición y el cuerpo no obtiene la cantidad suficiente de nutrientes y energía que necesita. Esto puede ocasionar problemas como:

- anemia,
- desequilibrios hormonales,
- poca densidad ósea promoviendo la aparición de osteoporosis,
- bajas defensas en el sistema inmunológico,
- problemas cardíacos…

Asimismo, pueden aparecer diversos síntomas como el déficit de energía, problemas para conciliar el sueño, frecuentes enfermedades, estreñimiento, dolor de pecho y palpitaciones cardíacas.

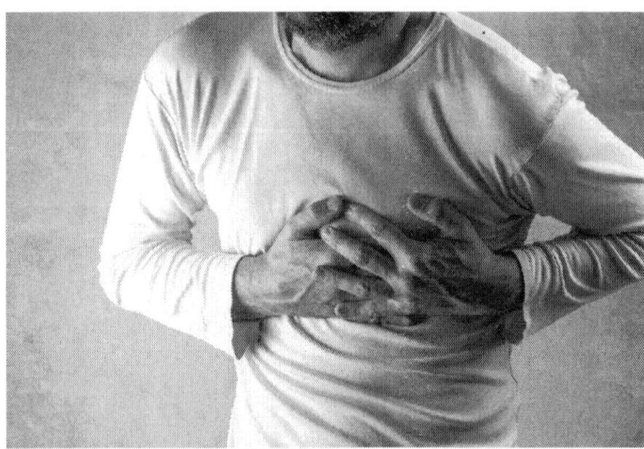

Un **IMC alto** puede derivar en los siguientes problemas:

- Enfermedades coronarias.
- Infarto cerebral.
- Alteración de los niveles de los lípidos (por ejemplo, triglicéridos y colesterol LDL alto, colesterol HDL bajo, etc.).

- Trastorno respiratorio produciendo apnea del sueño.
- Cáncer de colon, de mama y de endometrio.
- Tensión arterial alta.
- Diabetes mellitus (tipo II o no insulinodependiente).
- Artrosis.

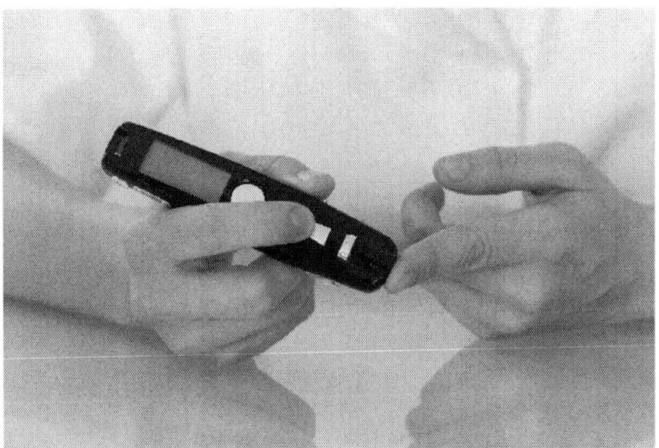

2. Índice Cintura-Cadera (ICC)

Para evitar el error de fijarse solo en la báscula, se deben realizar mediciones de **perímetros corporales** significativos de **cintura y cadera** (para más información, se podrían medir el pectoral, brazo y la pierna). De esta forma, se obtienen más datos a la hora de controlar la morfología corporal.

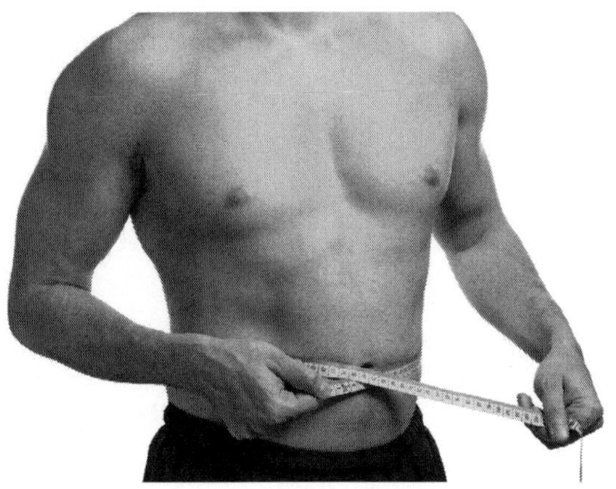

Las mediciones se pueden realizar con una cinta métrica (de costurera o de carpintero). Hay que rodear todo el contorno de la zona, con el fin de saber el perímetro corporal. Una vez obtenido los valores de la cintura y de la cadera, se deben usar en la siguiente fórmula:

ICC= cm de cintura / cm de cadera

- ICC = 0,71-0,84 normal para mujeres.
- ICC = 0,78-0,94 normal para hombres.

Valores mayores: síndrome androide (cuerpo de manzana). Suele darse en hombres con exceso de peso y un gran acúmulo de grasa en la zona abdominal. También aparece en esa zona en mujeres con menopausia.

Valores menores: síndrome ginecoide (cuerpo de pera). Suele darse en mujeres con exceso de peso y un gran acúmulo de grasa en la zona de las caderas y glúteos.

Ambos resultados fuera de valores conllevan un riesgo similar al producido por tener un IMC alto.

3. Somatotipo

 Recuerda que...

Como se comentaba en el capítulo 3, el somatipo es un sistema diseñado para clasificar el tipo corporal o físico. Es utilizado para estimar la forma corporal y su composición. Se utiliza como instrumento en las evaluaciones de la aptitud física en función de la edad y el sexo.

Para tener una idea del somatotipo que tiene cada sujeto, Thibadeau hace la siguiente clasificación:

- **Ectomorfo**: huesos pequeños, delgado, cuerpo longilíneo, baja masa muscular.
- **Endomorfo**: huesos grandes, excesiva grasa, moderada a gran masa muscular.
- **Mesomorfo**: gran masa muscular, baja a moderada grasa, huesos grandes.

Para saber el **tipo de constitución** que tiene cada opositor, existe la siguiente prueba: rodear la muñeca izquierda con los dedos pulgar e índice de la mano derecha. En función del resultado, se obtendrá el tipo de constitución ósea:

- Normal: las puntas de los dedos se tocan.
- Gruesa: las puntas de los dedos no se tocan.
- Fina: los dedos se tocan y además se pueden montar uno sobre el otro.

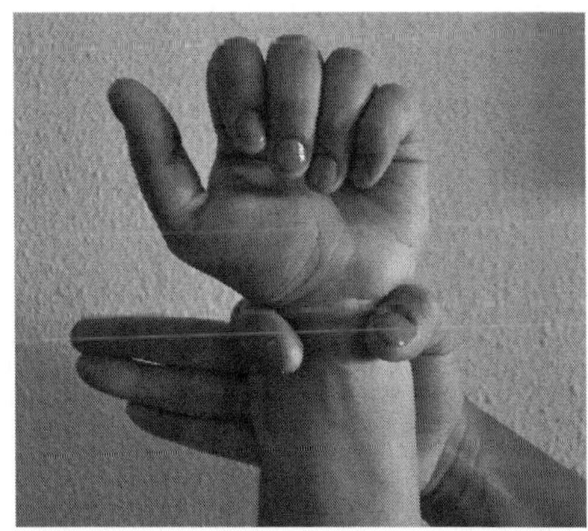

Constitución gruesa: huesos anchos

CAPÍTULO 9

Test inicial antes de comenzar la preparación

Índice

1. Introducción

Es importante una primera **autoevaluación** de cara a saber el punto de partida del opositor. Así, en función de los resultados obtenidos en cada una de las pruebas físicas, el opositor podrá elegir el programa más adecuado. Cada aspirante tiene un nivel diferente. No importa cuál sea, con esfuerzo y dedicación se consigue mejorar el resultado inicial. Habrá opositores que destacarán más en unas pruebas que en otras, pero todas son mejorables.

A continuación, se explicará cómo **realizar de forma fiable y segura** cada una de las siete pruebas.

2. Dominadas

Es una prueba que evalúa la fuerza de los miembros superiores, principalmente dorsal ancho y bíceps braquial; en menor medida, intervienen el braquial anterior, el antebrazo y los flexores de los dedos.

También será importante tener un buen tono muscular en los músculos abdominales y lumbares, con el fin de lograr mantener una buena postura corporal a la hora de realizar las repeticiones. Si la zona central del cuerpo está tonificada, será de gran ayuda a la hora de mantener el cuerpo alineado.

Se trata de una serie de contracciones isotónicas en las que hay una fase concéntrica (subida) en la que los músculos se acortan, y otra fase excéntrica (bajada), en la que estos se estiran.

Barras empleadas el día de las pruebas físicas oficiales

Para realizar el test se necesitará una barra recta paralela al suelo con la distancia suficiente para que, una vez agarrada con ambas manos y teniendo brazos y piernas extendidos, los pies no toquen el suelo.

La barra deberá estar a una distancia suficiente del suelo como para no tocar con los pies en el mismo una vez suspendidos mediante el agarre de manos. Se podrá alcanzar dicha barra haciendo un salto o subiéndose a una silla (o escalera). En ninguno de los dos casos se deberá sacar beneficio de ello. La posición inicial será con el cuerpo en suspensión, brazos extendidos y piernas extendidas o ligeramente flexionadas. Se deberá empezar el movimiento desde una posición completamente estática y con los brazos totalmente extendidos.

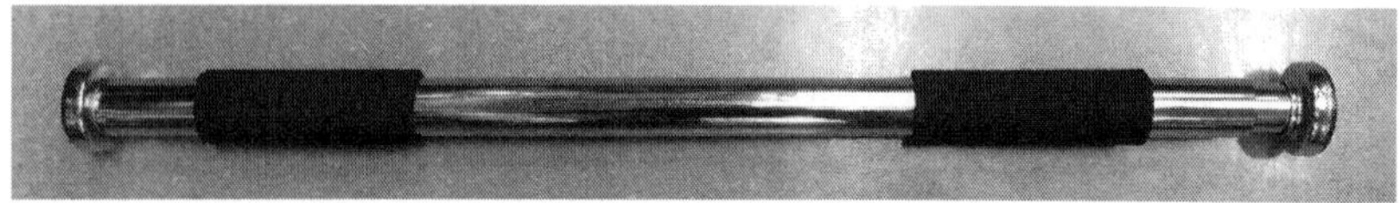

Barra de dominadas para usar entre los marcos de una puerta

La prueba comenzará cuando el examinador dé la señal, una vez compruebe que el opositor está preparado en la posición inicial. Por lo general, las repeticiones serán contadas en voz alta. Cada vez que una repetición no sea correcta puede que el examinador repita el número de la anterior dominada, significando ello que la actual ha sido nula.

Debido a que es una prueba cronometrada y el tiempo disponible son 30 segundos, es importante acostumbrarse a realizarlas de una forma rápida.

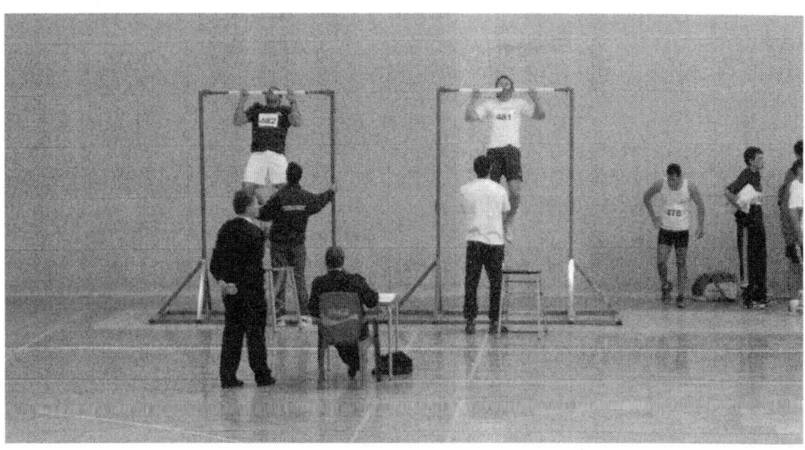

Aspirantes examinándose de dominadas

Motivos por los cuales **no serán contabilizadas** las flexiones de brazos en barra:

- Tocar el suelo a la hora de realizar la primera dominada o cualquiera de las posteriores.
- Tocar la silla o escalera cuando empiece el movimiento ascendente de cualquier dominada.
- Aprovechar el impulso del salto para hacer la primera dominada.
- Tocar la barra con la barbilla.
- Elevar las piernas a la hora de subir.
- No extender completamente los brazos en la fase negativa (de bajada), una vez que se vaya a empezar la siguiente dominada.
- No pasar el mentón por completo por encima de la barra.
- No llevar la vista al frente, buscando estirar el cuello para que la barbilla sobrepase la barra antes de tiempo.
- Soltarse de la barra antes de acabar la prueba.

Causa eliminatoria: apoyar la barbilla en la barra

Causa eliminatoria: elevar las piernas

Causa eliminatoria: no extender los codos en la bajada

El **agarre** debe ser en **pronación**, es decir, con el dorso de las manos hacia el opositor.

La **distancia entre manos** es a libre elección pero hay que tener en cuenta lo siguiente:

- A mayor separación, menor recorrido. Con este agarre habrá más implicación del dorsal ancho y menos del bíceps.
- A menor separación entre manos, mayor recorrido. Así disminuye algo la implicación del dorsal y aumenta la del bíceps.

Para saber qué distancia conviene más a cada opositor, habrá que experimentar con diversas medidas y elegir la que menor esfuerzo suponga para producir un mejor resultado.

Dominadas, agarre ancho

Dominadas, agarre estrecho

Vídeo recomendado

- **Dominadas**:
  http://youtu.be/POiA-X_sSNI

Recuerda que...

Para que sean contabilizadas el total de dominadas, estas se deberán hacer con una buena técnica. Tanto a la hora de realizar la prueba como en los entrenamientos, es aconsejable mantener una buena posición corporal cumpliendo una serie de normas y no cogiendo malas costumbres:

- Evita balanceos e inercias que ayuden. La fuerza hay que hacerla con los brazos sin ayudarse de un movimiento de latigazo.
- Al subir, pasa completamente la barbilla por encima de la barra, sin llegar a tocarla con la misma.
- Tampoco se deberán elevar las rodillas.
- Al bajar es obligatorio extender los brazos por completo para que sea considerada una repetición correcta.

3. Press de banca

Es una prueba que evalúa la **fuerza extensora de los miembros superiores**, principalmente pectoral y tríceps; en menor medida, interviene el deltoides anterior.

También será importante tener un buen tono muscular en los músculos abdominales y lumbares, con el fin de lograr mantener una buena postura corporal a la hora de realizar las repeticiones y, así, no arquear la zona lumbar. Si la zona central del cuerpo está tonificada, será de gran ayuda para mantener el tronco alineado y evitar movimientos compensatorios que sean motivo de eliminación.

Se trata de una serie de contracciones isotónicas en las que hay una fase concéntrica (subida) en la que los músculos se acortan, y otra fase excéntrica (bajada), en la que estos se estiran.

Para realizar el test se necesitará una barra recta de al menos 1,80 metros y discos. El peso a levantar dependerá de cada convocatoria. En algunas, hay que realizar una repetición con un gran peso. En cambio, en otras hay que realizar el número máximo de repeticiones con un peso más ligero.

En las pruebas físicas oficiales suele haber varios bancos, unos para los hombres y otros para las mujeres, todos con sus respectivos examinadores.

La prueba comenzará cuando el examinador dé la señal, una vez compruebe que el opositor está preparado en la posición inicial: tendido supino sobre un banco plano, con las piernas flexionadas, pies apoyados en el suelo y manos separadas con una anchura ligeramente superior a la de los hombros. La marca de separación está determinada en la barra. La yema del dedo pulgar debe tocar la parte lisa y rugosa de la barra. Este agarre es estándar y tiene una separación igual, ya sea para una persona alta como para una baja. Las barras de gimnasio suelen tener una parte rugosa que será la referencia a la hora de colocar las manos.

Para que cada repetición sea correcta, en la fase descendente se hará una **flexión profunda de brazos hasta que la barra toque el pecho**. La fase ascendente se hará **extendiendo completamente los brazos a nivel de los codos.**

Examen de press de banca

Sabías que...

Una vez comenzado el ejercicio no se podrá parar, ni mover las manos del agarre inicial, ni levantar los pies del suelo, ni tampoco realizar movimientos compensatorios con el cuerpo. Si se incumple alguno de estos requisitos, se detendrá la prueba y se anotarán las repeticiones realizadas correctamente hasta ese momento.

Por lo general, las repeticiones serán contadas en voz alta. Cada vez que una repetición no sea correcta, puede que el examinador repita el número de la anterior, significando ello que la actual ha sido nula.

Contacto de la barra con el pecho

Aparato de press de banca

Motivos por los cuales **no serán contabilizadas** las repeticiones:

- No tocar el pecho con la barra en la fase negativa (bajada).
- No extender los brazos en la fase positiva (subida).
- Mover las manos o los pies durante la prueba.
- Realizar movimientos compensatorios.
- Despegar los glúteos del banco.

Causa eliminatoria: elevar las piernas

Causa eliminatoria: no hacer la extensión completa de brazos

Causa eliminatoria: no tocar el pecho con la barra

Vídeo recomendado

- **Test de Press de banca**: https://www.youtube.com/watch?v=J_FNUFIDlH0

Recuerda que...

Para que sean contabilizadas el total de repeticiones del press de banca, estas se deberán hacer con una buena técnica. Tanto a la hora de realizar la prueba como en los entrenamientos, es aconsejable mantener una buena posición corporal cumpliendo una serie de normas, sin coger malas costumbres:

- Se debe evitar hacer movimientos incompletos. Hay que procurar flexionar los brazos lo suficiente como para tocar el pecho con la barra.
- Al subir, se debe extender por completo los brazos a nivel del codo.

4. Trepa de cuerda

Esta prueba evalúa la fuerza de los miembros superiores, principalmente dorsal ancho y bíceps braquial; en menor medida, intervienen el braquial anterior, el antebrazo y los flexores de los dedos.

También será importante tener un buen tono muscular en los músculos abdominales y lumbares, con el fin de lograr mantener una buena postura corporal a la hora de realizar las repeticiones. Si la zona central del cuerpo está tonificada, será de gran ayuda a la hora de mantener el cuerpo alineado.

Se trata de una serie de contracciones isotónicas en las que hay una fase concéntrica en la que los músculos se acortan, y otra fase excéntrica, en la que estos se estiran.

Para realizar el test se necesitará una cuerda con una longitud determinada en la presente convocatoria, medidos desde el suelo hasta el final de dicha cuerda.

La longitud de la cuerda por la que deben trepar las mujeres es un metro menor que la de los hombres, En las bases de la convocatoria se estipula 5 metros para las mujeres y 6 metros para los hombres.

Esta prueba suele ser cronometrada y la nota obtenida será en función del tiempo que se ha tardado en realizar la trepa.

Cuerda de trepa utilizada el día de las pruebas físicas oficiales

La posición de partida suele ser la siguiente. Desde la posición vertical, sin contacto entre los pies y la superficie de partida. La persona ejecutante deberá subir a brazo la cuerda sin realizar presa de pies ni piernas. El descenso se hará mediante brazadas, hasta apoyar uno o los dos pies en la superficie de partida.

La prueba se iniciará a la señal del examinador, momento en el que empezará a contar el tiempo. El cronómetro se detendrá en el momento en el que la persona ejecutante toque con una mano la campana, situada a la altura fijada a tal efecto. La cuerda que sujeta la campana se considera parte de esta.

Se considerará finalizada esta prueba cuando la persona ejecutante haya descendido de la cuerda y se encuentre en la superficie de partida.

Para el entrenamiento de esta prueba se recomienda realizar pequeñas ascensiones, considerando que no solo hay que subir, sino que también hay que guardar fuerzas para bajar haciendo brazadas durante la misma distancia de subida. A la hora de bajar la cuerda no se permite (ni es conveniente por la fricción en la palma de las manos) dejar que la cuerda resbale entre las mismas. Esto podría levantar la piel y provocar una herida en las mismas.

Descalificaciones:

- Iniciar la prueba antes del aviso de salida.
- Tocar con los pies en la superficie de partida al iniciar la prueba.
- Ayudarse con un salto en el momento del comienzo.
- Sujetarse con las piernas o los pies en cualquier momento de la trepa.
- Soltarse de la cuerda durante el ascenso o el descenso, o bajar deslizando con las manos sobre la cuerda.

Causa eliminatoria: iniciar la prueba con los pies apoyados en el suelo

Vídeo recomendado

- **Trepa de cuerda:**
https://www.youtube.com/watch?v=dyLQzFp2MNs

Recuerda que...

Para que sea correcta la trepa de cuerda, se deben cumplir al detalle las normas reflejadas en la convocatoria. Tanto a la hora de realizar la prueba como en los entrenamientos, es aconsejable mantener una buena posición corporal cumpliendo una serie de normas y no cogiendo malas costumbres:

- Los pies no deben tener contacto con el suelo en ningún momento, ni siquiera a la hora de comenzar la prueba desde la posición de sentado.
- Las piernas no deben hacer presa en ningún momento.
- Hay que tocar la campana del final de la cuerda.

5. Salto horizontal con pies juntos

Esta prueba mide la potencia del tren inferior, sobre todo de los músculos cuádriceps, isquiotibiales y gemelos.

El psoas ilíaco, los abdominales y lumbares también ayudan a desarrollar un salto potente. Hay que tener en cuenta que la zona central del cuerpo ejerce tensión a la hora de desarrollar un esfuerzo.

El salto de longitud consiste en una contracción isotónica explosiva en la que existe una fase de balanceo, una de impulso, otra fase aérea y una última de contacto con el suelo. En la fase excéntrica (flexión de rodillas y cadera), los músculos se acortan. En la fase concéntrica (extensión de rodillas y cadera), los músculos se estiran.

Para la realización de este test se recomienda una superficie llana y un metro para calcular la distancia saltada. Deberá estar marcada la zona de batida, desde la cual se parte a la hora de impulsarse. Para saber qué distancia en centímetros se ha saltado, hay que medir desde la línea de batida hasta el punto de contacto más próximo a la misma (talón del pie). Otra opción es medir la distancia requerida y hacer otra marca en la zona de llegada. Un poco de cinta aislante sería suficiente.

Metro para saber la distancia saltada

Para hacer un simulacro lo más real posible, se recomienda realizar el salto sobre una colchoneta ya que este es el material que se suele utilizar el día de las pruebas físicas oficiales. Los pies deben situarse sobre un extremo de dicha colchoneta.

Colchoneta para el salto de longitud

A la hora de situarse para realizar el salto, los pies deben estar separados de forma simétrica y colocados por detrás de la línea de batida. Se pueden realizar balanceos, pero sin pisar dicha línea ni despegar los pies del suelo.

Salto de longitud. Fase de impulso inicial

Se parte de una posición erguida, con las piernas extendidas y los brazos de forma horizontal, elevados por delante del cuerpo y estando paralelos al suelo. Para realizar un buen impulso, se recomienda flexionar piernas y mover los brazos hacia atrás, sobrepasando la vertical por detrás de los costados del cuerpo y manteniéndolos extendidos. Una vez se adquiera una flexión de rodillas de unos 90-100º, comienza la extensión de las piernas y la elevación de los brazos, para acabar con un último impulso de gemelos, elevando los talones e impulsando con la punta de los pies.

Salto de longitud. Fase de impulso final

Salto de longitud. Fase de caída tras el salto

Conviene superar con creces la distancia solicitada ya que el hecho de pisar la línea final tras el salto, lo anularía por completo. Si bien, es la única prueba en la que se permiten dos intentos, espaciados por unos minutos de descanso. Si el primer salto no ha sido apto, se permite un segundo, contabilizando la mejor de las marcas.

Motivos por los cuales **no será válido** el salto de longitud sin carrera:

- Iniciar el salto antes de la orden del examinador.
- No realizar el salto desde parado.
- Desplazar uno o ambos pies.
- Pisar la línea de batida.

Causa eliminatoria: pisar la línea en la batida

- No caer con los dos pies a la vez.

Causa eliminatoria: no caer con los dos pies a la vez

- No superar la marca solicitada.

Causa eliminatoria: no superar la marca solicitada

- **Test de salto de longitud sin carrera:** https://www.youtube.com/watch?v=a0OsilYbCPM

 Recuerda que...

Para realizar un buen salto de longitud sin carrera es muy importante el balanceo inicial. En la fase de impulso, los brazos también adquieren protagonismo. Su movimiento eficaz será desde la posición horizontal, extendidos a la altura de los hombros, hasta haber superado los costados del cuerpo y habiendo pasado la vertical.

Asimismo, la flexión de rodillas y de cadera es la que hará que el cuerpo se eleve y exista la fase aérea. Una escasa flexión no ayudará lo suficiente al impulso. Sin embargo, una excesiva flexión hará perder fuerza reactiva y que tampoco sea óptimo el resultado del salto.

Con una excesiva flexión de rodillas se pierde fuerza reactiva

6. Carrera de velocidad 100 metros

Es una prueba que evalúa la **resistencia anaeróbica aláctica, velocidad de reacción, capacidad de aceleración y velocidad de desplazamiento**. Consiste en una carrera a pie en una recta de 100 metros.

Fuentes	Vías de formación	Tiempo inicio	Plazo acción	Duración de liberación
Anaerobia Aláctica	CrP, ATP Muscular	0	30"	10 "
Anaerobia lactácida	Glucólisis (reserva glucógeno)	15 - 20"	30" - 5 - 6 - min.	30 " - 1 min 30 "
Aeróbico	Oxidación, HC, grasas	90 - 180"	Hasta varias horas	2 - 5 min

Sistemas energéticos y sus principales características, según Pancorbo (2002)

Dada la duración de la carrera, los suministros de energía suelen ser ATP muscular y fosfocreatina. A pesar de que la velocidad es muy elevada, no hay acumulación de dióxido de carbono (CO_2) ni ácido láctico porque la duración del esfuerzo es muy corta.

Esta carrera puede llevarse a cabo en una pista de atletismo o en otra zona como parques con marcas ya medidas. También se puede calcular la distancia mediante un programa informático en una foto satélite de internet o utilizar una cinta métrica grande, de hasta 100 metros.

Carrera de 100 metros

Es preferible entrenar la carrera por tierra o hierba para **evitar lesiones por sobrecarga** y que los impactos sobre el suelo no tengan tanta repercusión sobre las articulaciones de cadera, rodilla y tobillo. Una excepción puede ser el día que se realice el test, que será preferible que se haga sobre cemento, como el día de la prueba oficial.

Para la mejora de esta prueba se emplean ejercicios de musculación de todo el cuerpo, incluido el tronco (abdominales, lumbares, flexiones, etc.).

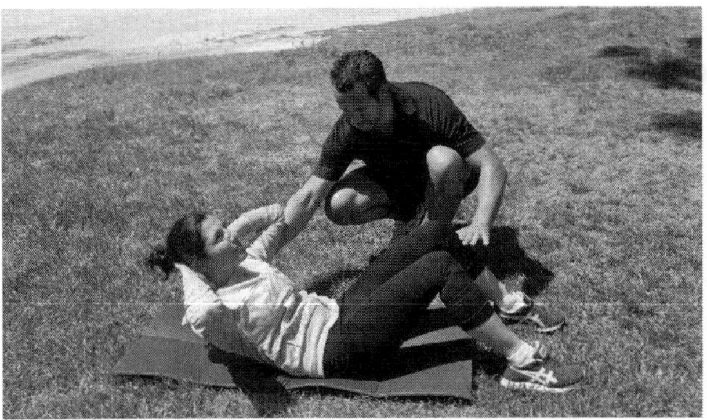

Entrenamiento de abdominales para la mejora en carrera

 Sabías que...

Los velocistas utilizan grandes cargas para potenciar los músculos de su cuerpo. Para tener una gran capacidad de velocidad gestual es fundamental tener una musculatura potente y explosiva, por ello se trabaja con ejercicios pliométricos.

 Vídeo recomendado

- **Carrera al aire libre por terreno blando**: http://youtu.be/lYgn7hGGm64

Para tener una referencia inicial, se debe realizar el sprint con la ayuda de un compañero que dé la salida al aspirante de forma sonora (silbato). El día de las pruebas oficiales se da la señal de salida con una pistola electrónica. En la meta hay sensores que detectan la llegada de cada aspirante cuando pasan por la misma con el pecho.

Cada grupo de examinados será de 8 como máximo (1 persona por cada carril). Es obligatorio que cada uno corra por su calle, sin invadir ninguna otra, ya que sería motivo de eliminación.

En esta prueba habrá dos intentos, siempre que no se supere el primero.

Antes de realizar esta prueba, es necesario un buen calentamiento ya que, de lo contrario, pueden aparecer efectos adversos como tirones, flatos, hiperventilación causada por no adaptarse a la subida de pulsaciones repentina, etc.

El corredor debe permanecer alerta detrás de la línea de salida. El hecho de tener que reaccionar a un estímulo sonoro hace que sea importante tener el ritmo del corazón elevado para mantener el estado de alerta.

La posición corporal correcta consiste en tener las piernas algo flexionadas, una adelantada y otra atrasada, y los brazos preparados para realizar movimientos contrarios a las piernas. El tronco estará ligeramente inclinado hacia adelante, con el fin de coger inercia en la salida, para erguirse progresivamente tras los primeros metros. Los pasos iniciales son más cortos y los apoyos de los pies más superficiales.

En la primera parte de esta prueba se busca una gran **frecuencia** de movimientos y que sean enérgicos. Poco a poco, adquiere más importancia la **amplitud** de zancada.

Preparación de la posición de salida

 Recuerda que...

Es importante tener el ritmo del corazón elevado para mantener el estado de alerta.

7. Carrera de fondo o resistencia. 2800 metros (hombres) y 2650 metros (mujeres)

Consiste en una prueba que evalúa la resistencia aeróbica y anaeróbica por medio de una carrera a pie de siete vueltas a una pista de atletismo (medida oficial: 400 metros) para los hombres. La distancia a recorrer en el caso de las mujeres son seis vueltas y media, y 50 metros más.

Debido al tiempo que puede durar la carrera, los suministros de energía suelen ser ATP, fosfocreatina, glucógeno muscular y hepático. Intervienen en menor medida las grasas ya que no es una carrera de larga duración. Como hay un gran consumo de oxígeno (VO2) y una acumulación de dióxido de carbono (CO2), dado el elevado ritmo de carrera, aparecerá una sustancia limitante en el rendimiento llamada ácido láctico.

Con el fin de **entrenar el factor psicológico** de dar vueltas en un mismo recorrido, en vez de correr en línea recta variando el paisaje, es importante realizar el test de la misma forma.

Puede llevarse a cabo en una pista de atletismo o en otra zona. Lo importante es que la vuelta mida 400 metros aproximadamente. Hay parques con distancias ya medidas. También se puede calcular la distancia mediante un programa informático en una foto satélite de internet, a ser posible con forma ovalada (mejor que completamente redonda) ya que la pista donde se realizarán las pruebas físicas oficiales tiene esta forma de elipse.

Como hemos dicho anteriormente, es preferible entrenar la carrera por tierra o hierba para **evitar lesiones por sobrecarga** y que los impactos sobre el suelo no tengan tanta repercusión sobre las articulaciones de cadera, rodilla y tobillo. Una excepción puede ser el día que se realice el test, que será preferible que se haga sobre cemento, como el día de la prueba oficial.

Entrenamiento de carrera en terreno blando (tierra de un parque)

Para la mejora de esta prueba se emplean ejercicios de musculación de todo el cuerpo, incluido el tronco (abdominales, lumbares, flexiones, etc.).

Sabías que...

Un récord que llevaba años sin batirse en maratón se superó por el uso de ejercicios de musculación y pesas. Para la mejora de la carrera es importante el trabajo muscular y no solo aeróbico.

Para tener una referencia inicial, hay que finalizar la carrera completando el recorrido. De lo contrario, no se podría obtener el tiempo total que se ha tardado en recorrer esos 2800 metros, o 2650 en su caso. Parece muy obvio, pero personas que no están acostumbradas a correr, no son capaces de realizar esa distancia si han empezado con un ritmo demasiado alto. Si es necesario, se puede reducir el ritmo y caminar, no llegando a pararse nunca. Una vez recuperado, se podrá aumentar la marcha andada hasta alcanzar la modalidad de carrera para conseguir llegar al final.

Examen de carrera de 1000 metros

Una buena información del ritmo de carrera implicaría apuntar los tiempos al pasar por la marca de los 400, 800, 1200, 1600, 2000 y 2400 metros. De esta forma, se tendrían varias referencias para regular el ritmo al correr, no cansarse antes de tiempo ni, por el contrario, acabar la carrera sin haber usado todo el potencial aeróbico y anaeróbico.

Hay que saber analizar qué es lo más conveniente. Se puede empezar con un ritmo moderado y, progresivamente, ir aumentándolo; también se puede comenzar con ritmo alto y aguantar como bien se pueda. Esta última opción no es aconsejable si no se ha realizado un buen calentamiento ya que, de lo contrario, pueden aparecer efectos adversos como tirones, flatos, hiperventilación causada por no adaptarse a la subida de pulsaciones repentina, etc.

Al correr con más opositores, la forma fiable de **controlar el ritmo de los parciales** es mediante un reloj con cronómetro para comprobar los parciales que se van realizando. Esto servirá para no ir demasiado rápido si hay alguien que marca un ritmo de carrera demasiado elevado, o bien para no ir demasiado despacio si el ritmo de carrera general es más lento que el del aspirante en sí.

La salida se da con un pistoletazo electrónico y el grupo puede ser de unos 10-15 de corredores. Es conveniente correr por la calle 1 para no realizar más de 400 metros por vuelta, ya que las otras calles tienen algunos metros más y, de esta forma, se realizaría más de 1000 metros en total.

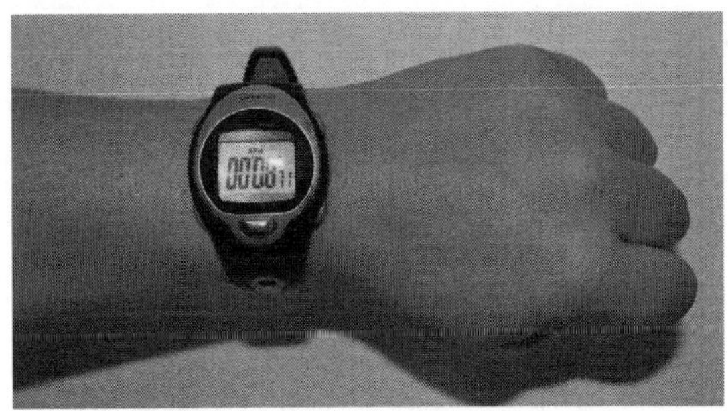

Cronómetro

Recuerda que...

Es imprescindible acabar el recorrido de los metros estipulados para tener una referencia inicial con este test. Por lo tanto, debe comenzarse con una velocidad moderada.

8. Natación 50 metros

Esta prueba mide la **capacidad de adaptación al medio acuático**. El ser humano no está familiarizado con la vida en el agua y, consiguientemente, con el desplazamiento en ella. No obstante, la natación es uno de los deportes más

completos ya que trabaja gran cantidad de músculos del cuerpo y quizá el más saludable ya que no tiene impacto alguno. Otros ejercicios aeróbicos o cardiovasculares movilizan principalmente el tren inferior, es decir, las piernas. En cambio, con la natación se mueven los brazos y las piernas.

Sabías que...

El cuerpo humano pesa 10 veces menos en el agua, por lo que el impacto del deporte de la natación es mínimo. Ejemplo, en un adulto de 70 kilos, las articulaciones de cadera, rodilla, tobillo, etc. soportan una carga de tan solo 7 kilogramos.

Por su corta distancia, mide **la velocidad de reacción, de desplazamiento y la aceleración**. Sobre todo, va a determinar la resistencia anaeróbica láctica que tiene el opositor ya que hay una acumulación de ácido láctico (sustancia residual creada en la sangre por un déficit del suministro de oxígeno, limitando el rendimiento).

Los sistemas de energía utilizados son ATP muscular, fosfocreatina, glucógeno muscular.

El **estilo** a utilizar es **libre**. Generalmente, se elige crol dado que es el más rápido de todos (boca abajo con movimiento alternativo de brazos y piernas).

Natación de 50 metros

Para la ejecución de esta prueba se puede utilizar una piscina de 25 ó de 50 metros. La medida de la piscina del día de las pruebas físicas va a depender de la época del año en la que se realizan los exámenes. En verano se suele utilizar el vaso exterior de 25 metros y en las otras estaciones se suele desarrollar en la piscina interior de 50 metros.

Aunque la distancia a nadar es corta, cada opositor tiene que ser consciente de sus posibilidades y controlar el ritmo de nado. Hay que dosificar fuerzas y es importante una buena estrategia de nado. Habrá aspirantes a los que les convenga salir nadando a un ritmo alto y luego mantener el ritmo. Por otro lado, habrá opositores que elegirán una estrategia más conservadora y empezarán con una velocidad moderada e irán aumentándola posteriormente.

Para tener una referencia inicial, se debe realizar la prueba de natación con la ayuda de un compañero que dé la **salida** al aspirante **de forma sonora** (silbato). El día de las pruebas oficiales se da la señal de salida con una pistola electrónica. En la meta habrá examinadores que detendrán el cronómetro cuando los opositores toquen la pared de su calle.

8.1. Comienzo de la prueba

La posición inicial en la prueba de natación es de pie en el borde de la piscina. Conviene realizar un **salto de cabeza** y un posterior deslizamiento por debajo del agua. De esta forma, se gana tiempo y se ahorra energías ya que hay una fase de buceo, en la que es importante adquirir una buena posición hidrodinámica estirando bien los brazos en prolongación del cuerpo, escondiendo la cabeza entre los mismos. La posición de los pies puede ser con uno adelantado y otro atrasado, o bien los dos a la misma altura. Una vez situados, se debe realizar el salto flexionando las piernas entre 70 y 90 grados, como si se hiciese un salto horizontal en tierra.

Salto desde el bordillo con los pies a la misma altura

Salto desde el bordillo con un pie adelantado y otro atrasado

A la hora de la entrada al agua, el cuerpo debe estar alineado y con un ángulo de unos 45 grados respecto a la horizontal. Si la entrada tiene mayor inclinación, el opositor caerá en picado hacia el fondo de la piscina y tardará en subir a la superficie para continuar con el nado. Si por el contrario, el cuerpo va más plano y paralelo a la superficie, la entrada al agua no tiene apenas deslizamiento y se corre el riesgo de contactar con el agua en una superficie demasiado amplia, golpeándose el opositor en el abdomen y piernas (vulgarmente se conoce como planchazo).

Entrada al agua con el cuerpo no alineado

Entrada al agua con el cuerpo alineado

Una vez realizada la entrada en el agua, el cuerpo debe deslizarse por debajo de la misma pocos metros y subir a la superficie cuanto antes. Para ello se pueden utilizar 3-4 patadas de crol o un par de batidos de delfín (patadas cortas con las piernas juntas).

Batido de delfín

8.2. Desarrollo de la prueba

Cuando el cuerpo esté en la superficie, se deben realizar las primeras brazadas. Como ya se ha dicho, el estilo más rápido es el crol. El nadador tendrá ya un déficit de oxígeno, por lo que debe realizar su primera respiración. Es conveniente sacar la cabeza lateralmente para coger aire, haciendo un rolido de hombros que provoca un giro en el eje longitudinal del cuerpo. Si la inspiración se hiciese frontalmente, mirando hacia adelante, los hombros y pecho ascenderían y las piernas perderían la posición horizontal y paralela al agua (hidrodinámica).

El oxígeno se debe coger por la boca al sacar la cabeza fuera del agua (inspiración). Antes de ello, se debe soltar el dióxido de carbono (aire ya utilizado) por la nariz y/o boca dentro del agua (espiración). Hay que buscar un equilibrio entre la distancia a recorrer y el número de respiraciones por brazadas. Opositores con baja condición física necesitarán respirar cada menos frecuencia de brazadas (por ejemplo, cada 2). Por otro lado, los aspirantes que están más en forma necesitarán menos suministro de oxígeno durante la prueba y sacarán la cabeza para respirar cada 3-4 brazadas. El hecho de sacar la cabeza lateralmente para respirar cambia un poco la posición hidrodinámica del cuerpo y hace que se frene un poco en cuanto al avance.

No obstante, no conviene restringir el suministro de oxígeno por favorecer la posición de deslizamiento. Para nadar rápido se necesita tener oxígeno en los pulmones.

Respiración lateral en el estilo de crol

Esta prueba consiste en nadar 50 metros. Dependiendo de la época en la que se lleven a cabo las pruebas físicas oficiales. Si es temporada de invierno, la piscina será de 25 metros. Por el contrario, si es en verano, el vaso medirá 50 metros. La diferencia del desarrollo de la prueba con una medida de piscina u otra reside en el hecho de tener que hacer un giro al acabar los 25 primeros metros o no. Este giro se llama viraje y puede hacerse por medio de una voltereta y posterior apoyo de pies en la pared para impulsarse. O bien puede realizarse sin voltereta, apoyando los pies directamente. En el primer caso se gana más tiempo, aunque es algo más exigente a nivel aeróbico. Una vez realizado cualquiera de los dos virajes, debe haber un deslizamiento en la misma posición hidrodinámica con la que se entra en el agua y se encadena con brazadas de crol una vez que se alcance la superficie. En ninguno de los dos casos, a la hora de cambiar de sentido, se debe tocar el bordillo de la piscina. Los batidos de pierna estilo delfín o mariposa son de gran ayuda, tanto para avanzar como para que el cuerpo llegue a la superficie para poder hacer brazadas.

Contacto con la pared y giro en el eje longitudinal (sin hacer la voltereta)

8.3. Llegada a la meta

Al final de los 50 metros estarán los examinadores para comprobar que los nadadores completan la distancia tocando un pulsador en la pared.

Llegada al final de los 50 metros, tocando la pared

Causas eliminatorias:

- Apoyar los pies en el fondo de la piscina.
- Asirse a la pared o a las corcheras para descansar.
- Una vez acabado el primer largo, no tocar la pared con la mano.
- Realizar dos salidas nulas.

Causa eliminatoria: asirse a la corchera para descansar

CAPÍTULO 10

Interpretación de los test: nivel de condición inicial

Lo primero a tener en cuenta es el estado de forma física actual. Para ello, el opositor deberá realizar un test inicial de las pruebas físicas.

> ### Recuerda que...
>
> Se deberán superar todas y cada una de las pruebas físicas para conseguir aprobar esta fase de la oposición. Para que el opositor vaya tranquilo al examen, es aconsejable llevar bien preparadas todas las pruebas, habiendo obtenido marcas por encima de las solicitadas. Habrá pruebas que se le den mejor y otras peor. Como median entre sí, sería conveniente en obtener la máxima puntuación en las que se le den mejor.

El test inicial es importante para que el usuario conozca su **estado físico de partida** y saber cómo adaptar los entrenamientos a ese nivel. Para evitar resultados indeseados, se recomienda elegir exactamente el entrenamiento correspondiente a dicho nivel. El hecho de elegir un nivel mayor no implica una mayor mejora, sino todo lo contrario. Puede llegar a haber un gran riesgo de lesión y, si esto sucede, conllevará un retroceso en el estado de la forma física hasta el momento.

Cada aspirante tendrá que **entrenar en base a sus marcas obtenidas en primera instancia** e irá mejorando para llegar con una buena puesta a punto al día de las pruebas físicas oficiales.

En la prueba de trepa de cuerda habrá que considerar no solo el tiempo que se tarda en realizar. También hay que analizar si se es capaz de subir la distancia requerida o parte de ella (6 metros los hombres y 5 metros las mujeres).

HOMBRES					
Marca / Prueba	Nivel muy bajo	Nivel bajo	Nivel medio	Nivel alto	Nivel muy alto
Dominadas	Menos de 14	14 - 16	17 - 19	20 - 22	23 o más
Press de banca	menos de 21	21 - 25	26 - 30	31 - 35	36 o más
Trepa de cuerda	sube menos de 4 metros	sube 4 - 5 metros o tarda 12,01´´ – 13´´ en subir los 6	sube 5 – 5,99 metros o tarda 11,01´´ - 12´´ en subir los 6	sube los 6 metros en 10´´ - 11´´	sube los 6 metros en menos de 10´´
Salto pies juntos	menos de 210	210 - 232	233 - 255	256 -278	279 o más
Carrera de velocidad 100 m	más de 15´´	14,51´´ - 15,´´	14,01´´ - 14,50´´	13,51´´ - 14´´	13,50" o menos
Carrera de resistencia 2800 m	más de 12´51´´	12´21´´ - 12´50´´	11´41´´ - 12´20	11´01´´ - 11´40´´	11´ o menos
Natación	más de 51´´	48,01´´ - 51´´	45,01´´ - 48´´	42,01´´ - 45´´	42" o menos

MUJERES					
Marca / Prueba	Nivel muy bajo	Nivel bajo	Nivel medio	Nivel alto	Nivel muy alto
Dominadas	menos de 8	8 - 10	11 - 13	14 - 16	17 o más
Press de banca	menos de 13	14 - 18	19 - 23	24 - 28	29 o más
Trepa de cuerda	sube menos de 3 metros	sube 3 - 4 metros o tarda 12,01´´ – 13´´ en subir los 5	sube 4 – 4,99 metros o tarda 11,01´´ - 12´´ en subir los 5	sube los 5 metros en 10´´ - 11´´	sube los 5 metros en menos de 10´´
Salto pies juntos	menos de 185	185 - 207	208 - 230	231 - 253	254 o más
Carrera de velocidad 100 m	más de 16,83´´	16,33´´ - 16,83´´	15,32´´ - 15,82´´	14,81´´ - 15,31´´	14,80" o menos
Carrera de resistencia 2650 m	más de 12´50´´	12´21´´ - 12´450´´	11´41´´ - 12´20´´	11´01´´ - 11´40´´	11 o menos
Natación	más de 54´´	51,01´´ - 54´´	48,01´´ - 51´´	45,01´´ - 48´´	45" o menos

Nivel de forma física, relacionando la prueba realizada y el resultado obtenido

Ejemplo: opositora con los siguientes resultados en el test inicial:

- Dominadas: 8 (nivel bajo).
- Press de banca: 10 (nivel muy bajo).
- Trepa de cuerda: 7,50´´ (nivel alto).
- Salto pies juntos vertical: 189 (nivel bajo).
- Carrera de velocidad 100 metros: 14,50´´ segundos (nivel muy alto).
- Carrera de resistencia 2650 metros: 11 minutos 20 segundos (nivel alto).
- Natación 50 metros: 49 segundos (nivel medio).

Tras saber el nivel en cada una de las pruebas, el opositor podrá **elegir la carga de los entrenamientos** en los programas que se incluyen en el presente libro. Ejemplo: un entrenamiento de carrera para un opositor que ha obtenido 13 minutos 20 segundos en un test de 2800 metros (nivel muy bajo), será distinto de otro entrenamiento de un opositor con una marca de 11 minutos 50 segundos (nivel medio). El primero necesitará caminar a ritmo medio para aguantar el tiempo indicado (p. ej. 50 minutos) y el segundo podrá realizar ese mismo tiempo corriendo a ritmo alto.

Es conveniente que cada uno elija el entrenamiento según su nivel. De lo contrario, si se rigiese por un nivel mayor, podría lesionarse. Si el nivel de entrenamiento elegido fuese menor que el que le corresponde, no mejoraría o incluso podría empeorar su rendimiento actual. Con esta guía se podrá avanzar de forma segura y afianzando los resultados.

CAPÍTULO 11

Nutrición y suplementos deportivos

Índice

1. Los grupos y tipos de alimentos

Es un hecho más que demostrado el que la alimentación de un deportista va a influir mucho en su **rendimiento deportivo**. Si se suministran los nutrientes necesarios para el buen funcionamiento del organismo, las posibilidades de éxito se multiplican. Por ello es muy importante consumir una **dieta sana y equilibrada**. De lo contrario, el entrenamiento no causará el mismo efecto.

Para realizar una correcta alimentación conviene conocer qué tipo de alimentos existen y de dónde provienen.

La conocida "pirámide de los alimentos" los clasifica en siete grupos:

- **Grupo I**. Dulces y snacks. Alimentos energéticos. En ellos predominan los lípidos.
- **Grupo II**. Mantecas y aceites. Alimentos energéticos. En ellos predominan los lípidos.

- **Grupo III**. Carnes pescados y huevos. Alimentos plásticos. En ellos predominan las proteínas.
- **Grupo IV**. Leche y derivados. Son alimentos plásticos. En ellos predominan las proteínas.
- **Grupo V**. Verduras y frutas. Alimentos reguladores. En ellos predominan las vitaminas y minerales.
- **Grupo VI**. Legumbres, hortalizas, frutos secos y patatas. Alimentos energéticos, plásticos y reguladores. En ellos predominan los glúcidos pero también poseen cantidades importantes de proteínas, vitaminas y minerales.
- **Grupo VII**. Féculas y cereales. Alimentos energéticos. En ellos predominan los glúcidos.

Clasificación de los alimentos

A) Según su origen

- Los de origen vegetal: verduras, frutas, cereales.
- Los de origen animal: carnes, leche, huevos.
- Los de origen mineral: aguas y sales minerales.

Cada uno de estos alimentos proporciona a nuestro organismo sustancias que son indispensables para su funcionamiento y desarrollo.

Estas sustancias son:

- Los hidratos de carbono (pan, harinas, azúcares, pastas), de alto valor energético.
- Las proteínas (carnes, huevos, lácteos, legumbres) necesarios para el crecimiento y formación de los tejidos.
- Los lípidos (grasas y aceites) productores de energía.
- Aguas y sales minerales en proporciones variables para el equilibrio de las funciones del organismo.
- Las vitaminas, sustancias químicas complejas, en cantidades mínimas, pero indispensables para el buen estado del organismo.

B) Según su descripción

- Alimentos lácteos (leche, caseína, crema, manteca, queso).
- Alimentos cárnicos y relacionados (carne, huevos).
- Alimentos farináceos (cereales, harinas).
- Alimentos vegetales (hortalizas, y frutas) .
- Alimentos azucarados (azúcares, miel).
- Alimentos grasos (aceites alimenticios, grasa alimenticias, margarina).
- Bebidas (bebidas alcohólicas, o sin alcohol, jarabes, jugos vegetales, bebidas fermentadas, vinos y productos afines, licores).
- Productos estimulantes y fruitivos (cacao y chocolate, café y sucedáneos, té, hierba mate).
- Correctivos y coadyuvantes (especias o condimentos vegetales, hongos comestibles, levaduras, fermentos y derivados, sal y sales compuestas, salsas, aderezos o aliños, vinagres).

Una buena alimentación debe ser equilibrada y completa, es decir deben estar presentes todos los grupos mencionados y cubrir todas las necesidades del individuo.

2. Necesidades nutricionales para la práctica deportiva

Una alimentación adecuada es una gran ayuda para los deportistas. En el caso de los que se preparan para unas pruebas físicas de una oposición, tiene un objetivo: ayudarles a mejorar sus marcas. Para los aficionados que practican deporte con la idea de mejorar su salud o su figura o por pasatiempo, el objetivo de una alimentación adecuada es satisfacer las necesidades nutritivas, evitando tanto las carencias como los excesos. Así pues, en consecuencia, es importante que todos los deportistas lleven una alimentación adecuada, más aún si son opositores.

- **Energía**. Las necesidades nutricionales dependen de la edad, peso, estilo de vida, estado de salud, y sobre todo, del tipo de actividad física. La dieta debe ser equilibrada para conseguir un óptimo rendimiento deportivo. La ingesta energética debe cubrir el gasto calórico y permitir al deportista mantener su peso corporal ideal.

- **Hidratos de carbono.** La ingesta óptima de carbohidratos en los opositores debe estar en un 50-60 % del total de las calorías ingeridas, en proporción del 10 % los hidratos de carbono simples o de asimilación rápida (dulces, azúcar...) y el porcentaje restante para los hidratos de carbono complejos o de asimilación lenta (cereales y derivados, patatas, verduras...). En general, los deportistas deberían consumir una dieta alta en carbohidratos para mantener en niveles óptimos la disponibilidad de glucógeno muscular durante períodos de entrenamiento y competición, teniendo así una mayor resistencia deportiva.

- **Proteínas.** Se recomienda que las proteínas impliquen el 10-15 % de la cantidad de energía necesaria diaria. Suele darse el caso de que el deportista, ansioso de mejorar su desarrollo muscular, exagere la ingesta de proteínas. No obstante, las necesidades no superan los 2 g de proteínas por kg de peso y día (excepto en deportes de fuerza que pueden llegar hasta 3 gramos). Estos requerimientos son cubiertos por la ingesta razonable de carne, huevos, pescado y productos lácteos. Un exceso de proteínas en la alimentación puede ocasionar una acumulación de desechos tóxicos y otros efectos perjudiciales para la buena forma del deportista.

- **Lípidos o grasas.** Las recomendaciones de grasas para deportistas son 30-35 % de las calorías totales diarias. Tanto un aporte en exceso como en déficit de grasa pueden conllevar efectos negativos para el organismo. Si el contenido de lípidos de la dieta fuese reducido, existiría el riesgo de sufrir deficiencias en vitaminas liposolubles y ácidos grasos esenciales. Si por el contrario la dieta contuviese un exceso de grasa, el rendimiento físico es menor y el deportista sería propenso a una serie de alteraciones como la obesidad, problemas digestivos y cardiovasculares.

- **Agua.** En condiciones normales, necesitamos sobre dos o tres litros de agua diarios para mantener el equilibrio hídrico. En el caso de un esfuerzo físico importante y/o condiciones altas de temperatura y humedad, las necesidades de agua aumentan, pudiendo perderse hasta más de dos litros por hora. Un alto desequilibrio hídrico puede mermar nuestro rendimiento físico e incluso llegar a causar daños irreversibles por deshidratación. Es aconsejable beber antes, durante y después del ejercicio físico, sobre todo en los deportes de larga duración.

- **Minerales.** Las necesidades de calcio aumentan en mujeres con una gran actividad deportiva, en las que suele producirse amenorrea (ausencia de la menstruación). Dicho incremento del consumo de este mineral servirá para compensar sus bajos niveles de estrógenos y su menor poder de absorción intestinal de calcio. Con este efecto, se recomienda una alimentación rica en productos lácteos (leche, queso, yogur...). Las necesidades de hierro son mayores en personas que practican habitualmente deporte que en personas sedentarias. Esto se debe a que sus pérdidas son superiores y a que tienen unos niveles mayores de hemoglobina en sangre. Además, las mujeres deberán compensar las pérdidas que se produzcan a través de la menstruación. Por lo tanto, mujeres deportistas deberán aumentar el consumo de alimentos ricos en hierro (legumbres, carne, huevos...).

- **Vitaminas**. La capacidad física disminuye cuando hay una carencia de vitaminas. En función de este hecho se ha extendido el pensamiento de que un suplemento vitamínico puede incrementar el rendimiento en una práctica deportiva. Sin embargo, los estudios realizados no corroboran que una adición de vitaminas mejore el rendimiento físico.

  Un aporte suplementario de vitaminas solo puede ejercer un efecto beneficioso en el rendimiento de las personas que tengan un déficit vitamínico, y hasta que se eleven sus valores a la normalidad. Pero una persona alimentada de forma equilibrada no tendrá dicha carencia.

 Sabías que...

Un gramo de hidratos de carbono y de proteínas son 4 kilocalorías. Sin embargo, un gramo de grasas son 9 kcal.

Por lo tanto, se llegará rápidamente al 30-35 % de calorías recomendadas con poca cantidad de alimentos ricos en lípidos.

3. Reparto diario de comidas

El reparto del total energético en el transcurso del día es extremadamente importante para una buena utilización de todos los nutrientes ingeridos.

El número de comidas diarias debería ser cinco, tanto para mantener nuestro peso como para reducirlo o aumentarlo. A igual proporción, a un mayor número de comidas corresponde un rendimiento mejor, se evitan así las fatigas digestivas y los accesos de hipoglucemia. Además, mantendremos en constante funcionamiento nuestro organismo y nuestra tasa metabólica basal será elevada (es lo que quemamos en reposo con las funciones vitales básicas, como la respiración, la digestión...).

En la comida anterior al entrenamiento, es importante ingerir alimentos ricos en hidratos de carbono complejos. Esta deberá ser realizada 1 hora y media antes de la práctica deportiva.

A medida que vaya avanzando el día, es aconsejable que disminuyamos el consumo de hidratos de carbono y grasas y que aumentemos la ingesta de proteínas. A este efecto, la cena deberá contener una mayor proporción de proteínas, tanto vegetales como animales.

Una buena distribución de la energía consistiría en efectuar cinco comidas diarias.

- Desayuno: 15-25 %
- Almuerzo media mañana: 10-15 %
- Comida mediodía: 25-35 %
- Merienda media tarde: 10-15 %
- Cena: 15-20 %

Un estado nutricional óptimo no se alcanza mediante las comidas previas a la competición, ni siquiera con las ingestas de las anteriores a la prueba. Un buen estado de nutrición es el resultado de unos hábitos alimentarios practicados adecuadamente y durante mucho tiempo, con regularidad, no una cuestión de unas pocas comidas. No obstante, para personas que siguen una correcta alimentación, sí influye que los tres días anteriores a la prueba hagan una "supercompensación" de hidratos de carbono complejos (aumento del consumo de los carbohidratos complejos o de lenta asimilación, con el fin de reponer los depósitos de glucógeno muscular).

 Recuerda que...

La alimentación va a ayudar considerablemente al logro de resultados deportivos y a la mejora de las marcas en las pruebas físicas.

4. Pautas nutricionales

Habrá opositores que necesiten adelgazar para estar más ligeros a la hora de realizar las pruebas físicas. A otros, en cambio, les vendrá bien ganar un poco de peso corporal y masa muscular para tener la suficiente fuerza y energía para lograr el éxito. Quienes ya tienen un peso adecuado, pueden **formar masa muscular y perder grasa corporal** para que su cuerpo sea más eficiente.

A continuación se citan unas pautas y dietas tipo para los diferentes casos de opositores. Se tomará como referencia un hombre adulto de 70 kg de peso corporal.

A) Caso 1: opositor que necesita reducir su peso

El hecho de que un aspirante tenga exceso de peso no es conveniente porque será más lento y menos ágil a la hora de realizar las pruebas físicas.

Las recomendaciones para este tipo de opositor son:

- Debe procurar que no pasen más de 3 horas entre una comida y otra. Así logrará hacer 5-6 comidas diarias y mantener en constante funcionamiento su metabolismo. Cuando se suministran alimentos al organismo cada mucho tiempo (periodos de muchas horas sin comer), este los acumula en forma de grasa como mecanismo de defensa para "sobrevivir" sin alimento mientras tanto.

  Otra ventaja de hacer un mayor número de comidas es que, con cada digestión, el cuerpo "quema" calorías.

- Si alguna vez siente mucha hambre antes de hacer una comida, deberá tomar una manzana acompañada de dos vasos de agua con el fin de saciar el exceso de apetito. Esto provocará saciedad y evitará la ansiedad, comer demasiado rápido y atiborrarse de alimentos.

- Debe evitar consumir hidratos de carbono (pasta, arroz, pan, patata…) en las horas previas a acostarse, ya que estos se acumulan en forma de grasa si no se queman por estar en un estado de reposo. Las dos comidas anteriores a dormir deberían estar basadas en proteínas (carne, pescado, huevos). Pueden ir acompañadas de ensalada o verdura.

- Es muy importante beber al menos 2 litros de agua diarios, sobre todo entre comidas. Al ingerir mucha proteína, el cuerpo necesita agua para filtrarla. Cuando se tome algo fuera de casa, se debe elegir bebidas bajas en calorías y sin gas: té sin azúcar, zumo natural recién exprimido o alguna bebida isotónica.

- Debido a la consiguiente retención de líquidos, deberá reducirse la ingesta diaria de sal y de alimentos que la contengan en exceso (cubitos de caldo de carne o pescado, mostaza, patatas fritas, frutos secos, bacalao salado, salsa de soja, galletas saladas, anchoas en aceite...).

- Los dulces están prohibidos (bollería, chocolate, azúcar refinado, chucherías, pasteles, tartas, etc.).
- Evitar el pan en las comidas principales.
- Cocinar al horno, al vapor, cocido, a la parrilla y la plancha con el mínimo aceite y siempre de oliva (echando una cucharadita en la sartén y restregándolo con una servilleta).

- Es aconsejable comer 4-5 raciones diarias de frutas y verduras.
- Es preferible usar sacarina en vez de azúcar.
- No utilizar salsas ni aceite para aderezar la comida; solo limón, una pizca de sal y vinagre (no crema balsámica).
- Se recomienda tomar una infusión después de la comida y cena (té, cola de caballo, diente de león...). Tienen propiedades digestivas y diuréticas.
- Se puede hacer una comida que no sea de dieta a la semana, pero en cantidad moderada.
- Para conseguir aún más resultados, se recomienda el uso de algún suplemento como un quemador de grasa, l-carnitina...
- Es muy importante ingerir una comida extra que sea rica en proteína justo después de entrenar. La razón es que el cuerpo está en fase de catabolismo y tiene mayor facilidad de asimilación de nutrientes y repara los músculos favoreciendo la recuperación entre entrenamientos (puede ser un suplemento de batido de proteína o el equivalente en alimentos). Para dicha ingesta, se recomienda que no pase más de media hora tras finalizar el entrenamiento.

	Lunes	Martes	Miércoles	Jueves	Viernes	Sábado	Domingo
Desayuno	Leche con cereales	Zumo natural y tostada jamón	Leche con cereales	Zumo natural y tostada jamón	Leche con cereales	Zumo natural y tostada jamón	Leche con cereales
Almuerzo	Sandwich pavo y 2 frutas	Sandwich pavo y 2 frutas	Sandwich pavo y 2 frutas	Sandwich pavo y 2 frutas	Sandwich pavo y 2 frutas	Sandwich pavo y 2 frutas	Sandwich pavo y 2 frutas
Comida	Ensalada y arroz con pollo	Legumbres y pescado a la plancha	Ensalada y pasta con verduras	Legumbres y pescado cocido	Verduras y patatas con carne	Ensalada y pescado a la plancha	Verduras y pavo al horno
Merienda	Lata atún y 2 frutas	2 claras co-cidas y 2 frutas	Lata atún y 2 frutas	2 claras co-cidas y 2 frutas	Lata atún y 2 frutas	2 claras co-cidas y 2 frutas	Lata atún y 2 frutas
Cena	Puré verduras y tortilla de 3 claras	Ensaladas y carne a la plancha	Puré de hortalizas y pescado a la plancha	Menestra verduras y tortilla de 3 claras	Ensaladilla y pollo a la plancha	Puré verduras y tortilla de 3 claras	Caldo de pollo y pescado a la plancha

Ejemplo de dieta de 2000-2200 kilocalorías para adelgazar y perder grasa dirigido a un sujeto con un mayor gasto calórico

B) Caso 2: opositor que necesita aumentar su peso

Una extrema delgadez también es perjudicial a la hora de superar con éxito las pruebas físicas ya que es conveniente tener energía y una buena masa muscular para realizar los entrenamientos.

Las recomendaciones que este tipo de opositor debe tener en cuenta son:

- Debe procurar que no transcurran más de 3 horas entre una comida y otra. Así logrará hacer 5-6 comidas diarias y evitar la fase catabólica (destrucción del músculo) y se promoverá la anabólica (creación de masa muscular) al tener un suministro de nutrientes constante.
- Debe aumentar la cantidad de calorías diarias por medio de la ingesta de hidratos de carbono compuestos (pasta, arroz, pan, patata…) y, sobre todo, de proteínas (carne, pescado, huevos, legumbres...).
- Es muy importante beber al menos 2 litros de agua diarios, sobre todo entre comidas. Al ingerir mucha proteína, el cuerpo necesita agua para filtrarla. Cuando se tome algo fuera de casa, se debe elegir bebidas bajas en calorías y sin gas: té sin azúcar, zumo natural recién exprimido o alguna bebida isotónica.

- La comida anterior a acostarse debería ser rica en proteínas y, si contiene hidratos de carbono, que sea poca cantidad ya que estos se acumulan en forma de grasa por inactividad de las posteriores horas.
- Debido a la consiguiente retención de líquidos, deberá reducirse la ingesta diaria de sal y de alimentos que la contengan en exceso (cubitos de caldo de carne o pescado, mostaza, patatas fritas, frutos secos, bacalao salado, salsa de soja, galletas saladas, anchoas en aceite…).
- Se recomienda cocinar al horno, al vapor, cocido y la plancha con el mínimo aceite (siempre de oliva).
- Se pueden comer frutos secos pero con moderación. Contienen proteínas pero también mucha grasa.

- Si se pretende ganar masa muscular libre de grasa, deben evitarse los dulces y las salsas en las comidas. Estos tipos de alimentos tapan mucho los músculos y no permiten que sean visibles.
- Coma 4-5 frutas diarias y/o verduras diarias.
- Para aderezar se puede usar un poco de aceite de oliva, una pizca de sal y vinagre (no crema balsámica).
- Se puede tomar café con moderación.

- Se pueden hacer dos comidas que no sean de dieta a la semana, pero en cantidad moderada.
- Para conseguir mayores resultados, se recomienda el uso de suplementos nutricionales como batidos de proteína y de carbohidratos, creatina...
- Es muy importante ingerir una comida extra que sea rica en proteína justo después de entrenar. La razón es que el cuerpo está en fase de catabolismo y tiene mayor facilidad de asimilación de nutrientes y repara los músculos favoreciendo la recuperación entre entrenamientos (puede ser un suplemento de batido de proteína o el equivalente en alimentos). Para dicha ingesta, se recomienda que no pase más de media hora tras finalizar el entrenamiento.

	Lunes	Martes	Miércoles	Jueves	Viernes	Sábado	Domingo
Desayuno	Tortillas de 3 claras y leche con cereales	Zumo natural, tostada jamón y 1 plátano	Tortillas de 3 claras y leche con cereales	Zumo natural, tostada jamón y 1 plátano	Tortillas de 3 claras y leche con cereales	Zumo natural, tostada jamón y 1 plátano	Tortillas de 3 claras y leche con cereales
Almuerzo	Sandwich pavo, 2 claras cocidas y 2 frutas	Sandwich pavo y 2 frutas	Sandwich pavo, 2 claras cocidas y 2 frutas	Sandwich pavo y 2 frutas	Sandwich pavo, 2 claras cocidas y 2 frutas	Sandwich pavo y 2 frutas	Sandwich pavo, 2 claras cocidas y 2 frutas
Comida	Ensalada y arroz con pollo	Legumbres y pescado a la plancha con patatas	Ensalada y pasta con verduras y carne	Legumbres y pescado cocido con patatas	Verduras y patatas con carne	Ensalada de pasta y pescado a la plancha	Verduras y pavo al horno
Merienda	Lata atún, 2 tostadas y 2 frutas	2 claras cocidas, 2 tortitas de arroz y 2 frutas	Lata atún, 2 tostadas y 2 frutas	2 claras cocidas, 2 tortitas de arroz y 2 frutas	Lata atún, 2 tostadas y 2 frutas	2 claras cocidas, 2 tortitas de arroz y 2 frutas	Lata atún, 2 tostadas y 2 frutas
Cena	Puré verduras y pescado a la plancha	Ensaladas y ternera a la plancha	Puré de hortalizas y pescado a la plancha	Menestra verduras y tortilla de 3 claras	Ensaladilla y pollo a la plancha	Puré verduras y tortilla de 3 claras	Caldo de pollo y pescado a la plancha

Ejemplo de dieta de 2800-3000 kilocalorías para aumentar peso y masa muscular dirigida a un sujeto con un menor gasto calórico

Sabías que...

La forma de calcular cuánta agua debe beber una persona es dividiendo su peso corporal entre 30. Así pues, un sujeto de 75 kilogramos deberá beber 2,5 litros de agua al día.

5. Alimentación después del ejercicio físico

La alimentación que tiene lugar tras un entrenamiento o después de una competición tiene tanta importancia como la que se lleva a cabo antes del mismo. Si la alimentación tras el ejercicio no es la adecuada, ni se ingieren los líquidos perdidos, el deportista no se va a recuperar adecuadamente o va a necesitar un mayor periodo de tiempo para conseguir estar a punto, por lo que en el entrenamiento o la competición siguiente no va a obtener el rendimiento deseado.

Es importante tomar alimentos ricos en hidratos de carbono como pan, patatas, pasta, arroz, fruta... durante los 15 minutos siguientes a un entrenamiento o competición, así como a las 2 y a las 4 horas de haber finalizado el ejercicio, de modo que los músculos puedan recuperar el glucógeno perdido. Pero en una dieta de recuperación también es importante no olvidar las proteínas, ya que algunas pueden hacer que la recuperación del glucógeno durante las primeras horas después de la competición sea más rápida. Un buen modo de ingerir alimentos proteicos es combinándolos con los ricos en hidratos de carbono obteniendo así platos tan variados como bocadillos de jamón o pavo, cereales con leche, carne o pescado con patatas...

Pero además es importante tener en cuenta que con el sudor se pierden también electrolitos como potasio y sodio por lo que es importante recuperarlos mediante la dieta. Son alimentos ricos en potasio y compatibles con una dieta de recuperación, las patatas, el plátano o los zumos de frutas, mientras que el sodio está presente en alimentos como el queso, el pan o las galletas saladas.

Después de hacer ejercicio deberíamos ingerir proteínas de alta calidad. Todas las actividades deportivas dañan las células musculares y cuanto más intensa sea el ejercicio, mas daños ocasionaran. Las proteínas adecuadas ayudan a las células a repararse.

Una hora y media o dos después de acabar el ejercicio es muy recomendable tomar bebidas ricas en proteínas (si es en polvo mejor) así como combinar un vaso de leche o un yogurt.

Para mantener o incrementar la masa muscular necesitas entre 1,25 y 1,50 gramos de proteína por kilo de peso (1,25 g/kg para deportes con balón y 1,50 g/kg para la musculación, maratones...).

6. La cafeína y el rendimiento

La cafeína tiene efectos positivos como estimular el sistema nervioso, aumentar la atención, la alerta y la habilidad mental.

El consumo de cafeína también tiene efectos negativos como la producción de ansiedad en algunas personas, desórdenes gastrointestinales, nerviosismo, irritabilidad, insomnio e incapacidad para concentrarse. El uso de la cafeína en los deportistas ha provocado mucha controversia, ya que los efectos negativos pueden alterar el rendimiento de los deportistas. Algunos estudios muestran que el consumo de la cafeína antes del ejercicio, puede aumentar el rendimiento del deportista, sin embargo, otros estudios muestran que la cafeína no beneficia en nada a los atletas. Debido a estos estudios, existen muchas teorías sujetas a discusión.

Conviene tener en cuenta los siguientes consejos si se va a consumir cafeína antes del ejercicio:

- La cafeína es un diurético que produce un desequilibrio hídrico. Es necesario beber líquidos extra para compensar las pérdidas.
- Un consumo de 3-6 miligramos de cafeína por kilogramo de peso corporal una hora antes del ejercicio, puede mejorar la resistencia en actividades que duran más de una hora.
- Consumir dosis de cafeína mayores a 6 miligramos por kilogramo de peso corporal puede producir los citados efectos negativos.

Nunca se debe probar el consumo de cafeína por primera vez antes de una competición. Los efectos psicológicos varían dependiendo de la persona y depende de la dosis, de la frecuencia con que se ingiera cafeína, de los niveles de ansiedad de cada individuo y de la composición corporal.

La cafeína está totalmente contraindicada en personas con cistitis y en las que padezcan enfermedades del corazón.

CAPÍTULO 12

Hidratación del deportista

Índice

1. Introducción

El agua es el principal componente del cuerpo, en la proporción de un 60-70 %. La calidad de los tejidos, su funcionamiento y su resistencia a enfermedades dependen de la calidad y cantidad del agua bebida. Hay muchos órganos humanos compuestos de agua:

- los huesos tienen un 25 % de agua,
- los músculos un 75 %,
- el cerebro un 76 %,
- la sangre un 82 %,
- los pulmones un 90 %...

Esto demuestra que el primer y el más esencial nutriente es el **agua**. Simple y ordinaria.

Excepto que, y es una gran excepción, esta agua necesita estar limpia, pura, y libre de contaminantes. En nuestro mundo moderno, la mejor opción de agua pura y limpia es el agua destilada a base de vapor. El cuerpo está compuesto de casi 75 % de agua, necesitamos por lo menos 8-10 vasos de agua por día para reaprovisionar el agua perdida a través de excreción y transpiración. La sangre es conocida como el líquido de la vida. El agua también es conocida como el líquido de la vida. Agua pura constituye la pureza y la salubridad de la sangre.

No hay duda de que lo que un deportista come y bebe puede afectar a su salud, a su peso y composición corporal, a la disponibilidad de sustratos durante el ejercicio, al tiempo de recuperación tras el ejercicio y, por último, a la realización del propio ejercicio.

El deportista que quiere optimizar sus resultados necesita seguir una buena nutrición e hidratación, usar suplementos y ayudas ergogénicas con cuidado, minimizar las grandes pérdidas de peso, así como comer cantidades adecuadas de diferentes alimentos. Este trabajo se centra en el análisis de uno de estos aspectos que pretenden mejorar el rendimiento de nuestros deportistas: **la hidratación**.

Dado que esta revisión trata acerca de la hidratación, es inevitable empezar hablando del agua, componente más abundante del organismo humano (aproximadamente un 65 % de nuestro cuerpo es agua), de ahí que se considere al ser humano, al igual que a cualquier otro organismo vivo, como una solución acuosa contenida dentro de su propia superficie corporal, o mar interno comunicado por multitud de fluidos acuosos.

El agua corporal contiene, en solución, electrolitos y otros solutos. Forma el líquido extracelular con el sodio como electrolito de mayor concentración y el intracelular con el potasio como electrolito más concentrado.

El agua es un nutriente no energético pero fundamental para que nuestro organismo se mantenga correctamente estructurado y en perfecto funcionamiento. Las diferencias en el agua corporal total entre distintos individuos se deben en gran parte a las variaciones en su composición corporal, es decir, se producen por diferencias en la relación existente entre tejido graso y tejido magro.

El músculo es agua en un 75 % de su peso, mientras que el agua supone solo un 20-25% del peso de la grasa. Así, resulta fácil comprender que los factores más importantes en cuanto a la influencia del contenido de agua corporal son el sexo, la edad y el peso.

De la misma forma que el agua es esencial para el organismo, el mantenimiento del **equilibrio hídrico** es fundamental para cualquier ser humano. Todo desequilibrio del mismo puede afectar negativamente al rendimiento físico y atentar contra la salud del organismo.

El consumo o ingesta hídrica procede principalmente de tres fuentes: bebidas, alimentos y agua metabólica resultante de las reacciones químicas que se suceden en nuestro organismo. Mediante el control del peso corporal antes y después del ejercicio, podemos intuir cuál ha sido el grado de deshidratación del sujeto.

2. Bebidas isotónicas para una correcta hidratación

La base fundamental de las bebidas de reposición está dada por la presencia de carbohidratos, vitaminas y minerales disueltos en el agua.

En la actualidad existen diferentes tipos de bebidas recuperadoras de carácter comercial, pero todas con las características antes expuestas en su constitución.

3. ¿Cómo podemos suplir estas bebidas comerciales en la base?

A continuación se exponen algunas formas de elaboración:

- Se puede utilizar un sobre de sales de hidratación oral en un litro de agua o jugo de fruta natural.
- A un litro de agua o jugo natural agregar 20 gramos de fosfato de glucosa, 3,5 gramos de cloruro de sodio (sal común), 2,5 gramos de bicarbonato de sodio, 1,5 gramos de potasio, se le puede incluir una tableta de polivitaminas y minerales.
- A un litro de agua o jugo de frutas agregar 20 gramos de glucosa, 0,3 gramos de vitamina C, 2 gramos de fosfato ácido de sodio, 2 gramos de cloruro de sodio y 2 gramos de magnesio y de potasio , puede incluir 20 miligramos de vitamina C y 0,3 gramos de vitamina B1.

Dentro de estos parámetros el entrenador o el atleta puede elaborar diferentes bebidas para la hidratación. Es importante destacar que con ellas se restituye la pérdida de agua, electrolitos y se produce la reposición calórica con los carbohidratos.

4. ¿Cuándo ingerir estos líquidos?

Resulta conveniente tomar líquido (o seguir tomándolo durante la actividad, entre 150 a 200 mililitros cada 15 a 20 minutos de ejercicios) y tras finalizar la misma y en dependencia de la intensidad y duración. La medida podría estar en la recuperación casi completa del peso corporal, menos 250 gramos, y en la recuperación fisiológica. Es importante que la ingestión se realice a pequeños sorbos ya que esta pauta acelera el vaciado gástrico.

5. Cómo hidratarse

- **Antes del ejercicio**. Tomar medio litro de líquido antes de ir a dormir la noche antes de la competición, por lo menos otro ½ litro al levantarse en la mañana para garantizar el equilibrio de líquidos en el cuerpo. Posteriormente se deberá beber de ½ litro a 1 litro aproximadamente 1 hora antes del evento y de ¼ a ½ litro 20 minutos antes.

- **Durante el ejercicio**. Los atletas deben empezar a tomar líquidos antes del ejercicio y en intervalos regulares durante el mismo, para reemplazar toda el agua que se pierde a través del sudor y lo ideal es hacerlo de 1 vaso a 2 vasos cada 15 o 20 minutos (o en cada estación durante la carrera)

  Se recomienda que los líquidos estén más fríos que la temperatura ambiente (entre 15-22 ºC) y que tengan buen sabor para incrementar el deseo de beber y promover que el reemplazo de líquidos sea suficiente.

- **Después del ejercicio**. Lo ideal es tomar líquidos ricos en azúcares (sobre todo en glucosa) ya que además de ayudar a establecer el equilibrio de líquidos en el cuerpo, los azúcares contenidos en el líquido vuelven a abastecer las reservas de carbohidratos perdidos durante la carrera de una manera rápida.

 Sabías que...

En los últimos 20 años numerosas investigaciones han reflejado los efectos beneficiosos de la nutrición durante la realización de ejercicio físico.

6. ¿Qué pasa si una persona se hidrata?

- Mantiene el volumen de líquidos y electrolitos en equilibrio.
- Retrasa la fatiga.
- Tiene un óptimo rendimiento.
- Evita síntomas como calambres, mareos, enrojecimiento de la piel, y náuseas, entre otros.

7. ¿Qué pasa si no se hidrata?

- Provocará deshidratarse y su sangre se hará cada vez más espesa, siendo más difícil el transporte de oxígeno y glucosa hacia las células.
- Se fatigará pronto.
- Su cuerpo se sobrecalentará y sudará en exceso tratando de bajar la temperatura corporal.
- Tendrá calambres, mareos, visión borrosa, náuseas y falta de coordinación.

8. El agua en el organismo

Las funciones más importantes que el agua ayuda a realizar en el organismo son:

- La respiración.
- La digestión.
- La regulación de la temperatura del cuerpo.
- Es esencial para transportar nutrientes como el oxígeno y las sales minerales, en la sangre.
- Ayuda a mantener el equilibrio y la presión sanguínea.
- Regula la acidez estomacal.

- Mantiene el metabolismo.
- Ayuda a regular todas las reacciones del cuerpo.

El agua es fundamental para equilibrar las reacciones enzimáticas. El agua debe contener sodio, potasio y cloro, para que el riñón no la elimine completamente a través de la orina. El sodio, que se encuentra en el agua, es el soluto más importante para el balance hidroelectrolítico del cuerpo, fundamental para mantener el organismo en un perfecto equilibrio", explica.

El especialista recomienda consumir dos litros y medio de agua diarios, sobre todo en verano, cuando a través de la transpiración se pierde un alto porcentaje de agua. Esto es, alrededor de 1,5 ml por kilo de peso corporal al día. El cuerpo elimina diariamente dos litros y medio de agua por concepto de respiración, transpiración, orina y heces. A la vez, requiere suplir esta pérdida obteniendo agua en su forma tradicional, a través de los alimentos o del mismo organismo, de la siguiente forma:

Entrada/ Salida:

- Agua por la boca: 1,3 litros. Orina: 1,5 litros.
- Líquido en alimentos: 1 litro. Heces: 200 ml.
- Oxidación del metabolismo interno: 300 ml. Respiración: 300 ml.
- Transpiración: 600 ml.

Total: 2,6 litros. Total: 2,6 litros.

El agua, además, tonifica el organismo y es especialmente beneficiosa para los deportistas. Asimismo, ayuda al cuerpo a utilizar los depósitos de grasa para convertirlos en energía y para eliminarlos mediante la orina.

En cuanto a su efecto estético, el agua ayuda a hidratar piel y músculos. Así, un cuerpo bien hidratado y tonificado por el agua se refleja en una piel tersa y en un tejido muscular más firme y elástico.

9. Componente esencial

El total de líquido del que se compone el cuerpo está distribuido de la siguiente forma:

- Células: 55 %.
- Líquido intersticial (rodea las células): 20 %.
- Tejido conjuntivo, piel y músculos: 7,5 %.

- Plasma: 7 %.
- Líquido transcelular: 2,5 %.
- Otros: 8 %.

Una persona puede pasar alrededor de cinco semanas sin recibir proteínas, carbohidratos y grasas, pero no puede sobrevivir más de cinco días sin beber agua.

10. Resumen

Es fundamental **mantener la hidratación antes, durante y después** de la práctica de **ejercicio físico.** Es extremadamente importante para la regulación de la temperatura, la función cardiovascular y el rendimiento físico. Para que nuestro organismo funcione correctamente es esencial mantenerlo con la proporción de agua que le corresponde. Las **necesidades de agua** varían en función de la edad y peso. Se supone un requerimiento promedio de 1 ml/kcal; es decir, entre **2 y 2,5 litros de agua al día**.

Estas necesidades pueden verse incrementadas con el ejercicio físico**. Aumenta la temperatura corporal y el cuerpo necesita refrigerarse** y lo hace aumentado la secreción de sudor y, en consecuencia, se pierde agua corporal. Si no se hace nada para compensar dicha pérdida, el cuerpo se irá deshidratando poco a poco a medida que avanza el ejercicio.

Sudoración debida al ejercicio físico

Si esperamos a tener sed para empezar a beber, habremos perdido aproximadamente el 2 % del peso corporal en agua, que se traduce en una disminución del 20 % del rendimiento deportivo. Si el ejercicio se realiza, además, en unas condiciones serias de calor y/o humedad, las pérdidas de líquido corporal se incrementan.

Los primeros **síntomas de deshidratación** que pueden aparecer son: fatiga, mareos y disminución del rendimiento.

El objetivo de la reposición de líquidos es que tanto circulación como sudoración se mantengan en niveles óptimos, garantizando así un rendimiento deportivo óptimo sin problemas de salud. La mejor forma de hidratarse es beber poco a poco a intervalos regulares para poder reemplazar toda el agua que se pierde a través del sudor. Por tanto, es importante no solo beber antes y después del ejercicio físico, sino también durante. Mientras se realiza ejercicio podemos o bien beber agua, o una bebida isotónica.

No obstante, como en todo, excederse en la hidratación tampoco es conveniente por riesgo de sufrir hiponatremia, un trastorno que se produce cuando las concentraciones de sodio en sangre bajan de forma anormal para el buen funcionamiento del sistema nervioso.

CAPÍTULO 13

Lesiones deportivas: cómo evitarlas

Índice

1. Introducción

La **lesión deportiva** se define como un accidente traumático o estado patológico producido como consecuencia de la práctica de cualquier deporte.

2. Tipos

- **Agudas**: producidas repentinamente por un hecho traumático.
- **Crónicas**: tienen un inicio lento y sin síntomas aparentes, agravándose progresivamente.

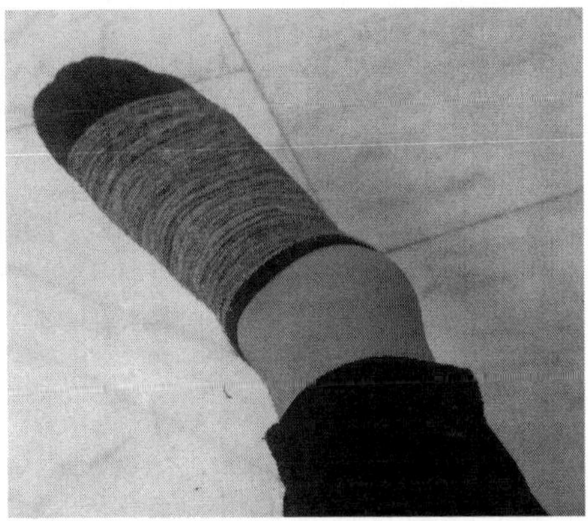

Lesión aguda: esguince de tobillo

3. Causas de las lesiones deportivas

Las principales causas son:

- Falta de conocimientos básicos del deporte.
- Falta de entrenamiento físico, técnico, táctico y psíquico.
- Descompensación corporal.
- Escaso dominio de la técnica.
- No ser consciente de las propias limitaciones.
- Deshidratación.

- Mala higiene (por ejemplo, las caries pueden derivar en roturas fibrilares).
- Excesiva fatiga o sobreentrenamiento.
- Alimentación incorrecta.
- Calentamiento nulo, escaso o mal realizado.
- Vuelta a la práctica de un deportista no repuesto totalmente de una lesión.

4. Fases de la lesión deportiva

Los programas de rehabilitación de una lesión deportiva deben estar basados en la siguiente estructura del proceso de curación.

4.1. Fase inflamatoria aguda

Sus características son enrojecimiento de la zona lesionada, calor, tumefacción, hinchazón, dolor y a veces puede haber impotencia funcional.

Se debe aislar del resto del cuerpo la zona dañada para que los glóbulos blancos reparen las células lesionadas.

4.2. Fase inflamatoria crónica

El proceso de inflamación aguda no elimina al agente causante de la lesión y se implican reparadores de mayor eficacia.

4.3. Fase de curación, cicatrización o reparación

Duración: 2-6 semanas.

En esta fase el deportista todavía puede mostrar sensibilidad al tacto y se quejará en situaciones que tenga que movilizar la estructura lesionada. A medida que el proceso de cicatrización va avanzando, el dolor irá desapareciendo.

4.4. Fase de maduración

Es la fase de mayor duración. Se produce una reorganización de las fibras de colágeno que forman el tejido de cicatrización y se van a formar unas líneas paralelas a las líneas de tensión del tejido. Para ello es importante un cierto esfuerzo con el cual producir un aumento de la fuerza a través de ejercicios de rehabilitación.

Por norma general, en la tercera semana se habrá formado una cicatriz fuerte y resistente. Sin embargo, para la curación completa de la lesión pueden pasar varios años.

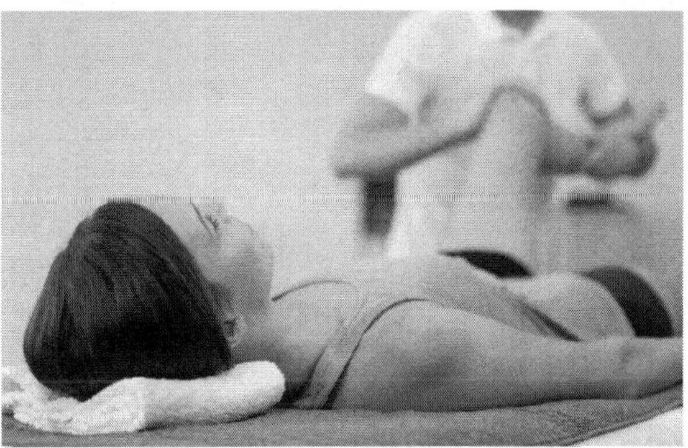

5. Factores que influyen en la curación

Fundamentalmente son los siguientes:

- Extensión de la lesión.
- Edema.
- Hemorragia.
- Suministro vascular deficiente.
- Infección.
- Salud, edad y nutrición.

6. Prevención de la lesión deportiva

6.1. Consideraciones sobre el entorno

Para prevenir lesiones deportivas es conveniente tener en cuenta los siguientes aspectos sobre el entorno:

- **Instalaciones deportivas**: tipo de superficie. Por ejemplo, hay terrenos más reactivos y no absorben los impactos producidos al correr o saltar.
- **Material deportivo**: regulación del sillín de la bicicleta, uso de protectores, acolchado de materiales…
- **Calzado**: es la parte más importante de la vestimenta porque durante el ejercicio se ejerce una fuerza varias veces mayor que el peso corporal, la cual es absorbida por el calzado, el pie y la pierna. Por lo tanto, el calzado (e incluso la plantilla) evitan lesiones por sobrecarga. Hay que prestar especial atención a deportistas con alguna anomalía en la pisada (pie plano, pie cavo, pronador, supinador...). Un estudio de la pisada y una buena plantilla pueden prevenir muchas lesiones como periostitis, tendinitis, fascitis plantar, etc.

6.2. Consideraciones sobre el deportista

El opositor debe tener en cuenta estos aspectos para evitar las lesiones en los entrenamientos:

- **Preparación física**: dinámica de cargas (intensidad, volumen y frecuencia), periodización en 3 estadios.
- **Nutrición**: aprovechamiento de recursos energéticos, con la consiguiente mejor y más rápida recuperación.

- **Calentamiento**: progresivo, individual, específico y direccional.
- **Estiramientos**: los objetivos son reducir la tensión muscular generada con el deporte, aumentar la extensión de los movimientos, relajar después del esfuerzo, prevenir tirones musculares, facilitar la oxigenación del músculo y así mejorar su recuperación.

6.3. Reconocimiento médico previo

El reconocimiento previo es muy útil para:

- Detectar enfermedades que puedan limitar la participación.
- Detectar enfermedades que puedan predisponer a sufrir una lesión.
- Habilitar los requisitos legales y de aseguración.

6.4. Psicología de la lesión deportiva

La **reacción a la lesión** en los deportistas suele seguir 5 fases:

1. Negación.
2. Cólera.
3. Negociación.
4. Depresión.
5. Aceptación y reorganización.

Son signos de una **mala adaptación** a la lesión:

- Sentimientos de furia y confusión.
- Obsesión con la idea de cuándo va a volver a competir.
- Negación (quitar importancia a la lesión).
- Vuelta a la actividad demasiado pronto, con el consiguiente riesgo de recaídas.
- Alardes exagerados de sus logros en la rehabilitación.
- Insistencia en quejas sobre cuestiones físicas sin importancia.
- Culpa por haber defraudado al equipo.
- Alejamiento de personas significativas.
- Cambios repentinos en el estado de ánimo.
- Afirmaciones de que nunca va a recuperarse.

CAPÍTULO 14

Planificación del calendario de entrenamientos

Índice

1. Introducción

No hay un tiempo ideal para la preparación de las pruebas físicas. El tiempo adecuado va a depender del estado de la forma física inicial del opositor.

Se partirá de una planificación anual como la de un curso lectivo: 10 meses. Es tiempo suficiente, incluso para opositores con un nivel muy bajo. **Lo más importante será la dedicación, el esfuerzo y la constancia**.

No obstante, se podrá adaptar en el caso de disponer de menos tiempo. La duración total será variable, así como la de los **cuatro periodos** de los que se compone siempre (estos serán explicados en un apartado posterior).

2. Planificación a falta de 10 meses para las pruebas físicas oficiales

Propongo la siguiente:

- Periodo preparatorio general: 4 meses (desde el primer mes hasta el cuarto).
- Periodo preparatorio específico: 2 meses (desde el quinto mes hasta el sexto).
- Periodo competitivo general: 2 meses (desde el séptimo mes hasta el octavo).
- Periodo competitivo específico: 2 meses (desde el noveno mes hasta el décimo).

En dichos periodos se ve cómo los parámetros de la carga (volumen e intensidad) varían a lo largo del tiempo restante hasta el día de las pruebas oficiales. El usuario no necesita calcular nada. Los gráficos son solo explicativos, esto ya va incluido en los propios programas de entrenamiento del presente libro. De esta forma, el opositor alcanzará el pico máximo de forma física el día de las pruebas, con el fin de superar con éxito el examen.

Para el correcto análisis de los siguientes gráficos, se recomienda volver a leer las definiciones de carga, intensidad y volumen.

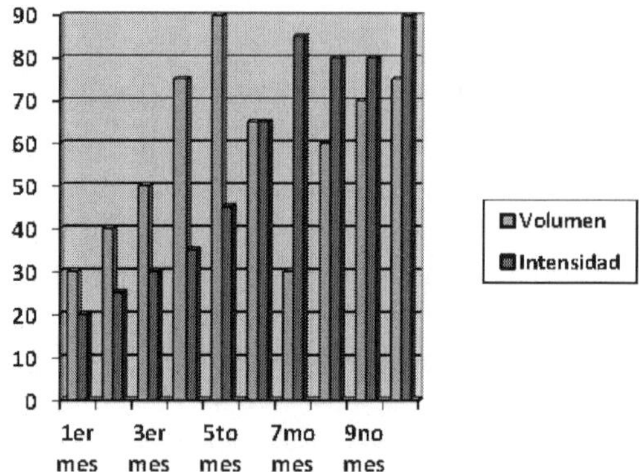

Planificación para 10 meses

Los opositores que no dispongan de estos 10 meses podrán seguir las siguientes planificaciones.

3. Planificación a falta de 9 meses para las pruebas físicas oficiales

Será la siguiente:

- Periodo preparatorio general: 3 meses (desde el primer mes hasta el tercero).
- Periodo preparatorio específico: 2 meses (el cuarto y quinto mes).
- Periodo competitivo general: 2 meses (el sexto y séptimo mes).
- Periodo competitivo específico: 2 meses (el octavo y noveno mes).

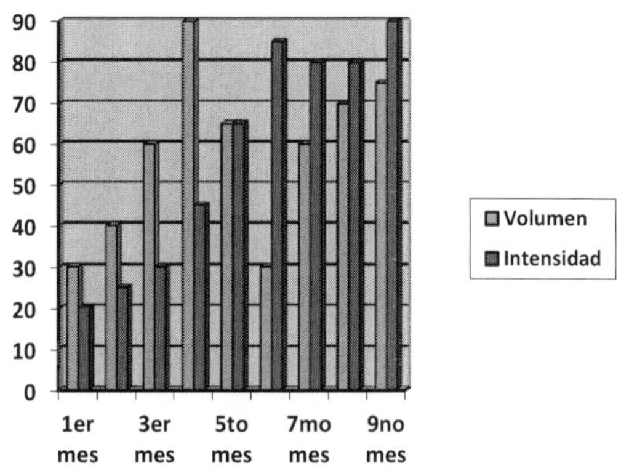

Planificación para 9 meses

4. Planificación a falta de 8 meses para las pruebas físicas oficiales

Los tiempos se distribuirán de esta forma:

- Periodo preparatorio general: 3 meses (desde el primer mes hasta el tercero).
- Periodo preparatorio específico: 1 mes (el cuarto mes).
- Periodo competitivo general: 2 meses (el quinto y sexto mes).
- Periodo competitivo específico: 2 meses (el séptimo y octavo mes).

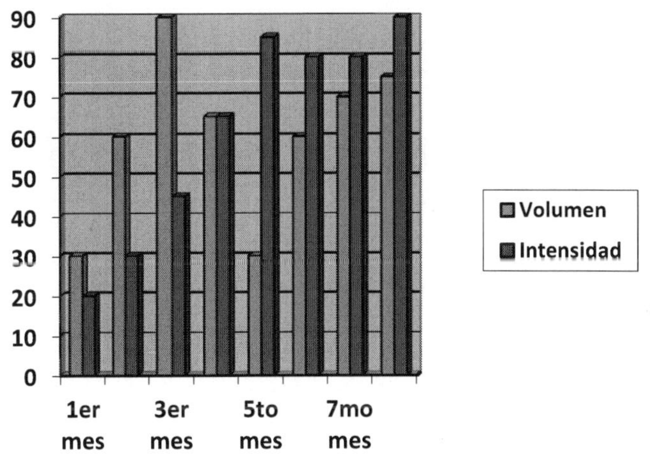

Planificación para 8 meses

5. Planificación a falta de 7 meses para las pruebas físicas oficiales

Será la siguiente:

- Periodo preparatorio general: 3 meses (desde el primer mes hasta el tercero).
- Periodo preparatorio específico: 1 mes (el cuarto mes).

- Periodo competitivo general: 2 meses (el quinto y sexto mes).
- Periodo competitivo específico: 1 mes (el séptimo mes).

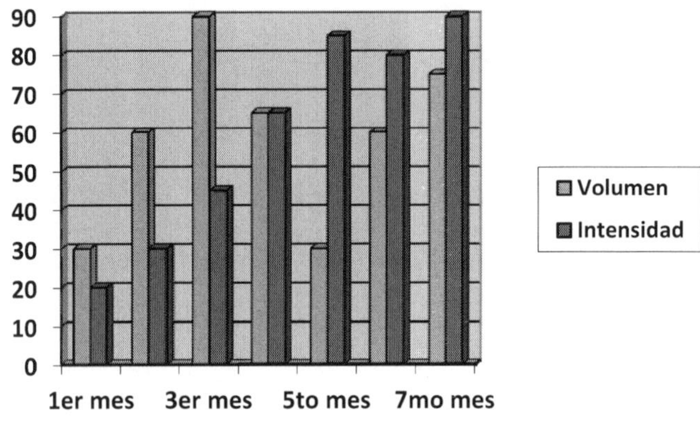

Planificación para 7 meses

6. Planificación a falta de 6 meses para las pruebas físicas oficiales

Tendrá la siguiente secuencia:

- Periodo preparatorio general: 2 meses (el primer y segundo mes).
- Periodo preparatorio específico: 1 mes (el tercer mes).
- Periodo competitivo general: 2 meses (el cuarto y quinto mes).
- Periodo competitivo específico: 1 mes (el sexto mes).

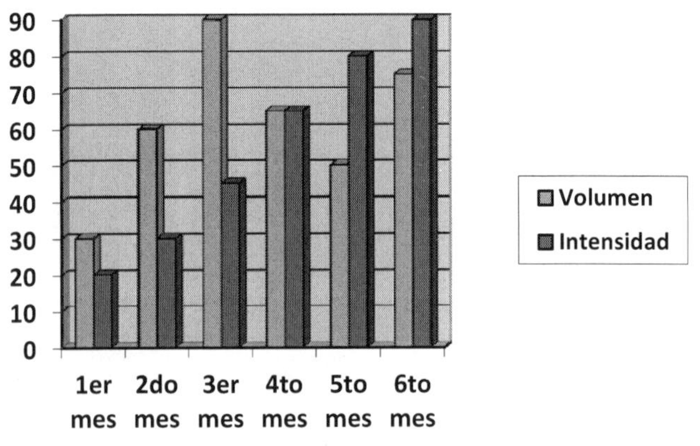

Planificación para 6 meses

7. Planificación a falta de 5 meses para las pruebas físicas oficiales

Los tiempos se distribuirán de esta forma:

- Periodo preparatorio general: 2 meses (el primer y segundo mes).
- Periodo preparatorio específico: 1 mes (el tercer mes).
- Periodo competitivo general: 1 mes (el cuarto mes).
- Periodo competitivo específico: 1 mes (el quinto mes).

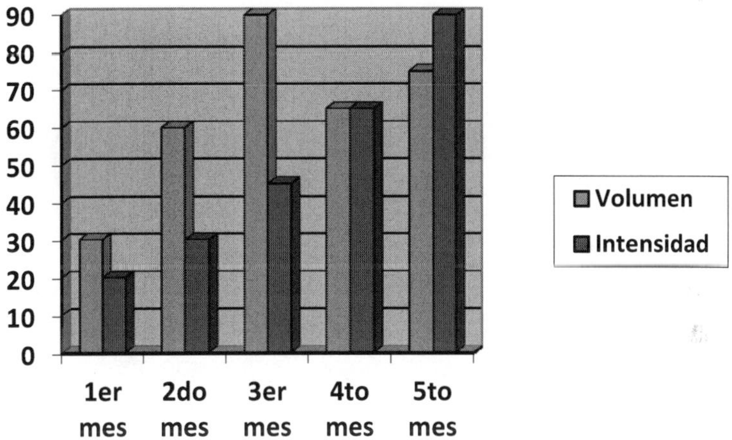

Planificación para 5 meses

8. Planificación a falta de 4 meses para las pruebas físicas oficiales

Los tiempos se distribuirán así:

- Periodo preparatorio general: 1 mes (el primer mes).
- Periodo preparatorio específico: 1 mes (el segundo mes).

- Periodo competitivo general: 1 mes (el tercer mes).
- Periodo competitivo específico: 1 mes (el cuarto mes).

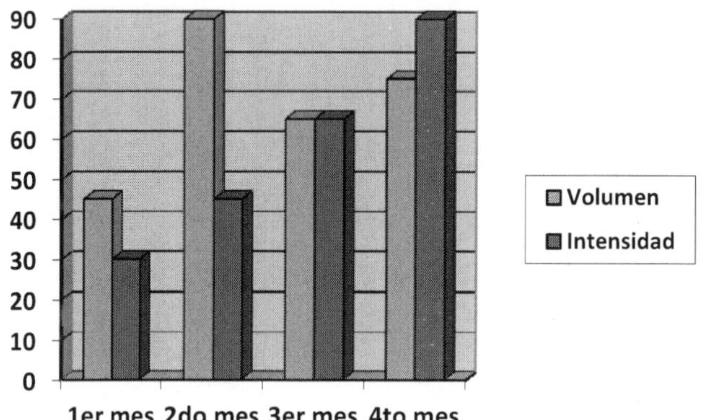

Planificación para 4 meses

9. Planificación a falta de 3 meses para las pruebas físicas oficiales

Será la siguiente:

- Periodo preparatorio general: 1 mes (el primer mes).
- Periodo preparatorio específico: 1 mes (el segundo mes).
- Periodo competitivo general: 2 semanas (el segundo mes y medio).
- Periodo competitivo específico: 2 semanas (el tercer mes).

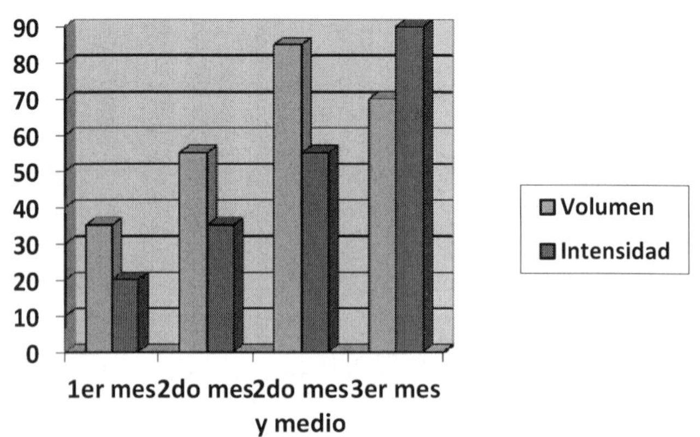

Planificación para 3 meses

10. Planificación a falta de 2 meses para las pruebas físicas oficiales

Los tiempos se distribuirán de esta forma:

- Periodo preparatorio general: 2 semanas (las primeras dos semanas).
- Periodo preparatorio específico: 2 semanas (el primer mes).
- Periodo competitivo general: 2 semanas (el primer mes y medio).
- Periodo competitivo específico: 2 semanas (el segundo mes).

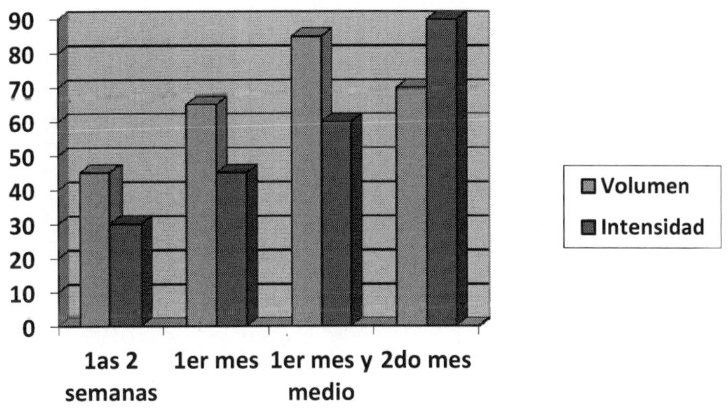

Planificación para 2 meses

Para preparar las pruebas físicas con menos de dos meses de tiempo se recomienda la ayuda de un profesional, ya sea a distancia o presencial.

CAPÍTULO 15

Consideraciones de los programas de entrenamiento

Índice

1. Introducción

Habrá que tener en cuenta una serie de aspectos a la hora de entrenar para la mejora de las pruebas físicas de la oposición.

Los programas de entrenamiento estarán clasificados y divididos según la prueba a mejorar.

Para la preparación de las pruebas de dominadas y trepa de cuerda habrá un entrenamiento de musculación, ya sea con cargas externas (pesas) o internas (el propio peso corporal). Habrá observaciones con características distintas (series, repeticiones, descansos, etc.).

Los entrenamientos de estas pruebas estarán en la misma tabla ya que para ambas se necesita trabajar el mismo movimiento corporal: la tracción de brazos.

Barra para el entreno de las dominadas y la suspensión

Para la **preparación del press de banca**, habrá un entrenamiento de musculación, ya sea con cargas externas (pesas) o internas (el propio peso corporal). A los candidatos que no tengan fuerza suficiente para realizar las repeticiones con el peso exigido, se les aconseja colocar menos peso con el fin de realizar las repeticiones indicadas en cada ejercicio.

Trepa de cuerda

Press de banca

Habrá observaciones con características distintas (series, repeticiones, descansos, etc.). Cuando se hable de repeticiones al máximo, hay que tener en cuenta que la técnica no debe descuidarse en las últimas flexiones (pies apoyados en el suelo, flexión de brazos de forma que la barra toque el pecho, extensión de brazos completa, no realizar movimientos compensatorios, etc.).

El **salto horizontal** a pies juntos necesita dedicación, ya que es la prueba que se mejora de forma más lenta. Se necesita una gran potencia del tren inferior pero también una técnica del tren superior y que los brazos sirvan como acompañamiento del movimiento. Por ello, será importante una buena coordinación de segmentos corporales (brazos y piernas, fundamentalmente).

En los programas de entrenamiento habrá ejercicios de mejora de la potencia de piernas, pero también es importante pulir la técnica. Para ello, el opositor podrá verse lateralmente en un espejo y practicar el gesto técnico descrito en el capítulo 9 "Test inicial antes de comenzar la preparación".

Es conveniente realizar los saltos de longitud sobre una superficie que absorba el impacto tras cada caída. Como todo salto, implica una fase aérea en la que ambos pierden el contacto con el suelo para trasladarse a otra posición impactando con todo el peso corporal. Dicho impacto será más saludable si se hace sobre una superficie blanda (colchoneta, por ejemplo).

Salto de longitud sobre colchoneta

Ejercicio de saltos pliométricos

Por otro lado, para la **preparación de la prueba de 100 metros corriendo**, habrá ejercicios de técnica de carrera, entrenamientos aeróbicos y anaeróbicos, sobre todo del tipo aláctico, con carreras de diferentes tipos (distancias, pulsaciones requeridas, inclinaciones del terreno, con recuperaciones completas o incompletas, etc.). Esta prueba se entrena un día a la semana, a ser posible al comienzo de la semana, cuando se supone que el cuerpo está más descansado al llevar menos entrenamientos.

Ejercicio de técnica de carrera

En cuanto al **entrenamiento de la prueba de carrera de fondo,** habrá entrenamientos aeróbicos y anaeróbicos lácticos, con carreras de diferentes tipos (distancias, pulsaciones requeridas, inclinaciones del terreno, con recuperaciones completas o incompletas, etc.).

Carrera de resistencia

La **preparación de la prueba de natación** consistirá en entrenamientos aeróbicos, anaeróbicos lácticos y alácticos, con diversos parámetros (estilos, distancias, recuperaciones completas o incompletas, etc.).

Ejercicio de natación

2. Distribución semanal de los entrenamientos

Los programas de entrenamiento están diseñados para ejercitarse de 3 a 6 días semanales. La distribución de días a lo largo de la semana vendrá determinada por la disponibilidad del opositor.

Habrá un total de seis entrenamientos semanales:

- Tres entrenamientos semanales de musculación (para las pruebas de fuerza en brazos y el salto) y natación.
- Otros tres entrenamientos de carrera (1 de velocidad, para los 100 metros, y 2 días de fondo o resistencia, para los 2800 o 2650 metros).

Lo ideal es que entre cada entrenamiento de musculación y natación haya un día de separación (mínimo). Lo mismo sucede con los entrenamientos de carrera. Esto se puede distribuir de varias formas:

- **Ejemplo 1**:
    * Lunes, miércoles y viernes: musculación y natación (1 hora de duración cada uno, aproximadamente).

  * Martes, jueves y sábado: entrenamiento de carrera (1 de velocidad y 2 días de resistencia). 1 hora de duración, aproximadamente.

- **Ejemplo 2**:

  * Lunes, miércoles y viernes: entrenamiento de carrera (1 de velocidad y 2 días de resistencia). 1 hora de duración cada uno, aproximadamente.

  * Martes, jueves y sábado: musculación y natación (1 hora de duración, aproximadamente).

- **Ejemplo 3**:

  * Lunes, miércoles y viernes: musculación y natación a primera hora del día y entrenamiento de carrera a última hora del día (1 hora de duración cada uno, aproximadamente). También se puede hacer al contrario.

- **Ejemplo 4**:

  * Martes, jueves y sábado: musculación y natación a primera hora del día y entrenamiento de carrera a última hora del día (1 hora de duración cada uno, aproximadamente). También se puede hacer al contrario.

- **Ejemplo 5**:

  * Lunes, miércoles y viernes: musculación, natación y entrenamiento de carrera (2 horas de duración seguidas, aproximadamente).

- **Ejemplo 6**:

  * Martes, jueves y sábado: musculación, natación y entrenamiento de carrera (2 horas de duración seguidas, aproximadamente).

Se podrían poner más ejemplos, pero ya se ve que **lo importante es que haya al menos un día de separación entre entrenamientos del mismo tipo**.

La **distribución más aconsejable** es la de los ejemplos 1 y 2, ya que permite mantener el rendimiento durante todo el entrenamiento dado que, al hacer 6 días semanales, la duración de cada uno es de 1 hora y, en este tiempo, los depósitos de glucógeno muscular rinden al máximo.

En el caso de no disponer de 6 días semanales para entrenar, la **segunda opción más recomendable** es hacer lo indicado en los ejemplos 3 y 4, con el mismo fin de que el opositor esté 2 horas seguidas entrenando y que entre un tipo de entrenamiento y otro pasen al menos 6 horas. Por ejemplo: primer entrenamiento del día a las 7.30 a.m. y segundo entrenamiento del día a las 18:30 p.m.; o bien, a las 14:00 p.m. y a las 20:00 p.m., respectivamente.

Los ejemplos 5 y 6 van **destinados a opositores que solo dispongan de 3 días semanales** para entrenar y de una vez, es decir, haciendo ambos tipos de entrenamiento seguidos. En este caso, el orden deber ser: ejercicios de musculación, carrera de 100 metros y de 2800 o 2650 metros y, por último, de natación.

3. Explicación de los contenidos de los entrenamientos

A continuación, se detallan los programas de entrenamiento englobados dentro del período correspondiente. Tal y como se ha dicho anteriormente, la duración de dichos programas va a depender del tiempo restante que tenga el opositor hasta el día de las pruebas oficiales (desde 2 hasta 10 meses).

Con el fin de personalizar al máximo cada programa, habrá varias opciones a elegir entre los opositores:

- Niveles según la forma física actual obtenida en el test de cada prueba: muy bajo, bajo, medio, alto y muy alto. En función del nivel que tenga el usuario, los entrenamientos tendrán una mayor o menor dificultad. Como se ha dicho anteriormente, cada uno debe elegir el entrenamiento correspondiente a su nivel. Con el fin de evitar lesiones, no se debe elegir uno mayor. Así mismo tampoco se debe elegir uno de menor nivel para que no se produzca un estancamiento o regresión.

4. Observaciones de los entrenamientos de dominadas

- **Calentamiento**: consiste en realizar 5-10 minutos de cualquier ejercicio aeróbico (carrera, bicicleta, elíptica, etc., aunque es preferible que sea de máquina de remo por tener mayor transferencia).

- **Series y repeticiones**: conjunto de veces que se realiza el movimiento de un ejercicio. Si un ejercicio se hace de forma alterna, primero con un brazo y luego con el otro, habrá que realizar las repeticiones marcadas con cada uno de los dos segmentos.

- **En circuito**: las vueltas dependerán del nivel obtenido en las pruebas. Ejemplo: 10 repeticiones del ejercicio 1, 10 del ejercicio 2... así hasta el último y se vuelve a empezar, haciendo el número de vueltas correspondiente al nivel obtenido en las pruebas.

- **Velocidad de ejecución**: cantidad de movimientos por espacio de tiempo. Puede ser lenta, media o rápida. Las contracciones suelen ser isotónicas concéntricas y excéntricas, es decir, hay acortamiento y estiramiento muscular. La fase excéntrica es a favor de la gravedad, pero no por ello se hace de forma más rápida e incontrolada, sino que se debe mantener la velocidad.

- **Intensidad**: referida a cómo se llegue a la última repetición de los ejercicios, ya sean con pesas o con el propio peso corporal.

  Las repeticiones pueden ser de una intensidad baja (se hacen las repeticiones marcadas pero que en realidad se podrían hacer el doble), media (se podrían hacer 5 repeticiones más de las marcadas), alta (sería posible hacer 2 o 3 repeticiones más) o muy alta (es el máximo de repeticiones posibles, llegando al fallo muscular). No se debe abusar de este último tipo de intensidad ya que la técnica empeora bastante en las repeticiones forzadas.

Respiración durante las dominadas

Inspiración en la bajada

Espiración en la subida

- **Respiración**: se debe inspirar por la nariz durante la fase excéntrica del movimiento (estiramiento del músculo), que es a favor de la gravedad. La espiración se hará por la boca durante la fase concéntrica (acortamiento del músculo), que sucede en contra de la gravedad.

  Ejemplo: en dominadas se inspira al bajar hacia el suelo, extendiendo los brazos (a favor de la gravedad). Se espira al subir y flexionar los brazos (en contra de la gravedad).

- **Recuperación**: tiempo de descanso entre cada serie.
- **Estiramientos**: al acabar el entrenamiento, conviene relajar los músculos trabajados haciendo los estiramientos musculares, manteniendo la posición de forma estática unos 30-40 segundos, sin hacer rebotes y sin que haya dolor muscular, solo molestia y tensión.

Estiramiento de gemelo

5. Observaciones de los entrenamientos de press de banca

- **Calentamiento**: consiste en realizar 5-10 minutos de cualquier ejercicio aeróbico (carrera, bicicleta, elíptica, etc., aunque es preferible que sea de máquina de remo por tener mayor transferencia).

- **Series y repeticiones**: conjunto de veces que se realiza el movimiento de un ejercicio. Si un ejercicio se hace de forma alterna, primero con un brazo y luego con el otro, habrá que realizar las repeticiones marcadas con cada uno de los dos segmentos.

- **En circuito**: las vueltas dependerán del nivel obtenido en las pruebas. Ejemplo: 10 repeticiones del ejercicio 1, 10 del ejercicio 2... así hasta el último y se vuelve a empezar, haciendo el número de vueltas correspondiente al nivel obtenido en las pruebas.

- **Velocidad de ejecución**: cantidad de movimientos por espacio de tiempo. Puede ser lenta, media o rápida. Las contracciones suelen ser isotónicas concéntricas y excéntricas, es decir, hay acortamiento y estiramiento muscular. La fase excéntrica es a favor de la gravedad, pero no por ello se hace de forma más rápida e incontrolada, sino que se debe mantener la velocidad.

Velocidad alta en la prueba de press de banca

- **Intensidad**: referida a cómo se llegue a la última repetición de los ejercicios, ya sean con pesas o con el propio peso corporal.

  Las repeticiones pueden ser de una intensidad baja (se hacen las repeticiones marcadas pero que en realidad se podrían hacer el doble), media (se podrían hacer 5 repeticiones más de las marcadas), alta (sería posible hacer

2 o 3 repeticiones más) o muy alta (es el máximo de repeticiones posibles, llegando al fallo muscular). No se debe abusar de este último tipo de intensidad ya que la técnica empeora bastante en las repeticiones forzadas.

- **Respiración**: se debe inspirar por la nariz durante la fase excéntrica del movimiento (estiramiento del músculo), que es a favor de la gravedad. La espiración se hará por la boca durante la fase concéntrica (acortamiento del músculo), que sucede en contra de la gravedad.

  Ejemplo: en las clásicas extensiones o fondos en suelo, se inspira al bajar hacia el suelo, flexionando los brazos (a favor de la gravedad). Se espira al subir y extender los brazos (en contra de la gravedad).

Respiración durante las flexo-extensiones de tríceps

- **Recuperación**: tiempo de descanso entre cada serie.
- **Estiramientos**: al acabar el entrenamiento, conviene relajar los músculos trabajados haciendo los estiramientos musculares, manteniendo la posición de forma estática unos 30-40 segundos, sin hacer rebotes y sin que haya dolor muscular, solo molestia y tensión.

6. Observaciones de los entrenamientos de trepa de cuerda

- **Calentamiento**: consiste en realizar 5-10 minutos de cualquier ejercicio aeróbico (carrera, bicicleta, elíptica, etc., aunque es preferible que sea de máquina de remo por tener mayor transferencia).

- **Series y repeticiones**: conjunto de veces que se realiza el movimiento de un ejercicio. Si un ejercicio se hace de forma alterna, primero con un brazo y luego con el otro, habrá que realizar las repeticiones marcadas con cada uno de los dos segmentos.

- **En circuito**: las vueltas dependerán del nivel obtenido en las pruebas. Ejemplo: 10 repeticiones del ejercicio 1, 10 del ejercicio 2... así hasta el último y se vuelve a empezar, haciendo el número de vueltas correspondiente al nivel obtenido en las pruebas.

- **Velocidad de ejecución**: cantidad de movimientos por espacio de tiempo. Puede ser lenta, media o rápida. Las contracciones suelen ser isotónicas concéntricas y excéntricas, es decir, hay acortamiento y estiramiento muscular. La fase excéntrica es a favor de la gravedad, pero no por ello se hace de forma más rápida e incontrolada, sino que se debe mantener la velocidad. Hay ejercicios que se realizan de forma isométrica, manteniendo la posición sin hacer flexión ni extensión de ninguna parte del cuerpo.

- **Intensidad**: referida a cómo se llegue a la última repetición de los ejercicios, ya sean con pesas o con el propio peso corporal.

  Las repeticiones pueden ser de una intensidad baja (se hacen las repeticiones marcadas pero que en realidad se podrían hacer el doble), media (se podrían hacer 5 repeticiones más de las marcadas), alta (sería posible hacer 2 o 3 repeticiones más) o muy alta (es el máximo de repeticiones posibles, llegando al fallo muscular). No se debe abusar de este último tipo de intensidad ya que la técnica empeora bastante en las repeticiones forzadas. También se puede solicitar aguantar una determinada posición unos segundos, llegando o no al máximo de las posibilidades del opositor.

- **Respiración**: se debe inspirar por la nariz durante la fase excéntrica del movimiento (estiramiento del músculo), que es a favor de la gravedad. La espiración se hará por la boca durante la fase concéntrica (acortamiento del músculo), que sucede en contra de la gravedad. Si el ejercicio consisten en mantener la posición, sin realizar movimientos, la respiración debe ser fluida y con un ritmo normal.

- **Recuperación**: tiempo de descanso entre cada serie.

- **Estiramientos**: al acabar el entrenamiento, conviene relajar los músculos trabajados haciendo los estiramientos musculares, manteniendo la posición de forma estática unos 30-40 segundos, sin hacer rebotes y sin que haya dolor muscular, solo molestia y tensión.

Trepa de cuerda

7. Observaciones de los entrenamientos de salto horizontal a pies juntos

- **Calentamiento**: consiste en realizar 5-10 minutos de cualquier ejercicio aeróbico (carrera, bicicleta, elíptica, etc., aunque es preferible que sea de máquina de remo para calentar el tren superior e inferior).
- **Series y repeticiones**: conjunto de veces que se realiza el movimiento de un ejercicio. Si un ejercicio se hace de forma alterna, primero con una pierna y luego con la otra, habrá que realizar las repeticiones marcadas con cada uno de los dos segmentos.
- **En circuito**: las vueltas dependerán del nivel obtenido en las pruebas. Ejemplo: 10 repeticiones del ejercicio 1, 10 del ejercicio 2... así hasta el último y se vuelve a empezar, haciendo el número de vueltas correspondiente al nivel obtenido en las pruebas.
- **Velocidad de ejecución**: cantidad de movimientos por espacio de tiempo. Puede ser lenta, media o rápida. Las contracciones suelen ser isotónicas concéntricas y excéntricas, es decir, hay acortamiento y estiramiento muscular.

  Ejemplo: en las repeticiones del ejercicio de saltos, ya sean a una o a dos piernas, la flexión de rodilla y cadera no debe ser excesiva.

Saltos a una pierna

- **Intensidad**: referida a cómo se llegue a la última repetición de los ejercicios, ya sean con pesas o con el propio peso corporal.

  Las repeticiones pueden ser de una intensidad baja (se hacen las repeticiones marcadas pero que en realidad se podrían hacer el doble), media (se podrían hacer 5 repeticiones más de las marcadas), alta (sería posible hacer 2 o 3 repeticiones más) o muy alta (es el máximo de repeticiones posibles, llegando al fallo muscular). No se debe abusar de este último tipo de intensidad ya que la técnica empeora bastante en las repeticiones forzadas.

- **Respiración**: se debe inspirar por la nariz durante la fase excéntrica del movimiento (estiramiento del músculo), que es a favor de la gravedad. La espiración se hará por la boca durante la fase concéntrica (acortamiento del músculo), que sucede en contra de la gravedad.

  Ejemplo: en el ejercicio de saltos, se toma aire por la nariz en la bajada (flexión de piernas) y se expulsa por la boca en la subida (extensión de piernas).

- **Recuperación**: tiempo de descanso entre cada serie.

- **Estiramientos**: al acabar el entrenamiento, conviene relajar los músculos trabajados haciendo los estiramientos musculares, manteniendo la posición de forma estática unos 30-40 segundos, sin hacer rebotes y sin que haya dolor muscular, solo molestia y tensión.

Estiramiento de sóleo

8. Observaciones de los entrenamientos de carrera de velocidad 100 metros

Es conveniente tener en cuenta que:

- **Superficie**: en caso de correr por el exterior, para evitar lesiones por sobrecarga e impactos repetitivos, se debería procurar hacerlo por terreno blando, tierra o césped. Esto tiene mayor importancia en la preparación de la prueba de velocidad ya que los impactos contra el suelo son más intensos, sobre todo cuando se trabaja la pliometría.
- **Velocidad**: en los entrenamientos de esta prueba, la velocidad es alta. Será importante la técnica de carrera, así como el trabajo de frecuencia y amplitud de movimientos.
- **Duración**: va a depender del nivel de cada usuario, siendo resultado de la realización del test de las pruebas físicas. Los opositores de nivel mayor tendrán entrenamientos de más larga duración y viceversa. Cada uno debe fijarse en el número de series correspondiente a su nivel y no realizar ningún otro. Si esto no se respeta, podría ser causa de lesión por sobreentrenamiento o mermar su rendimiento, según sea el caso.
- **Intensidad**: sería recomendable el uso de pulsómetro para controlar la frecuencia cardíaca. Teniendo en cuenta que la frecuencia cardíaca máxima se calcula con la fórmula de FCM = 220 - edad, trabajaremos con las siguientes intensidades, según el nivel de las pruebas físicas realizadas por cada opositor:

  * 60 % de la FCM (**ritmo bajo**, que no cueste apenas esfuerzo).

    Ejemplo: persona de 30 años. FCM = 220 - edad = 190 de pulsaciones máximas teóricas por minuto. El 60 % de 190 es 114 pulsaciones/minuto.

  * 70 % de la FCM (**ritmo medio**, que permita hablar sin esfuerzo).

    Ej.: 70 % de 190 = 133.

  * 80 % de la FCM (**ritmo alto**, que se entrecorten las palabras a la hora de hablar).

    Ej.: 80 % de 190 = 152.

  * 90 % de la FCM (**ritmo muy alto**, que sea casi imposible hablar).

Ej.: 90 % de 190 = 171. Si no coincide la percepción con el porcentaje de esfuerzo, el opositor deberá guiarse por las sensaciones físicas (y no por el valor que marca el pulsómetro)".

- **Recuperación**: tiempo de descanso entre cada serie. Hay dos tipos: activa (caminando, por ejemplo) y pasiva (parado en el sitio). También puede ser según el tiempo de recuperación: completa (el descanso es amplio y, prácticamente, las pulsaciones vuelven a su estado inicial) e incompleta (el corazón no recupera su pulso inicial antes del siguiente esfuerzo).

- **Estiramientos**: al acabar el entrenamiento, conviene relajar los músculos trabajados haciendo los estiramientos musculares, manteniendo la posición de forma estática unos 30-40 segundos, sin hacer rebotes y sin que haya dolor muscular, solo molestia y tensión. En carrera trabajan, sobre todo, los músculos del tren inferior. Habrá que estirar bien las piernas para una buena recuperación.

9. Observaciones de los entrenamientos de carrera de fondo o resistencia de 2800 o 2650 metros

Consideraciones:

- **Superficie**: en caso de correr por el exterior, para evitar lesiones por sobrecarga e impactos repetitivos, se debería procurar hacerlo por terreno blando, tierra o césped. Los entrenamientos para mejorar la carrera de 2800 o 2650 metros son de una cadencia menor que los de 100 metros, pero tienen mayor volumen de metros y, por tanto, de impactos contra el suelo.

- **Velocidad**: será justo la necesaria para mantener la intensidad y duración requeridas. Es importante realizar el tiempo y/o la distancia recomendados en los programas. Para ello, hay que controlar el ritmo de carrera y no ir demasiado rápido. Cuando sea carrera continua, lo importante es mantener el ritmo y no parar por completo (si es necesario, se caminará rápido hasta estar recuperado, momento el que se deberá retomar la carrera).

- **Duración**: va a depender del nivel de cada usuario, siendo resultado de la realización del test de las pruebas físicas. Los opositores de nivel mayor tendrán entrenamientos de más larga duración y viceversa. Cada uno debe fijarse en el tiempo de duración correspondiente a su nivel y no realizar

ningún otro. Si esto no se respeta, podría ser causa de lesión por sobreentrenamiento o mermar su rendimiento, según sea el caso.

- **Intensidad**: sería recomendable el uso de pulsómetro para controlar la frecuencia cardíaca. Teniendo en cuenta que la frecuencia cardíaca máxima se calcula con la fórmula de FCM = 220 - edad, trabajaremos con las siguientes intensidades, según el nivel de las pruebas físicas realizadas por cada opositor:

  * 60 % de la FCM (**ritmo bajo**, que no cueste apenas esfuerzo).

    Ejemplo: persona de 30 años. FCM = 220 - edad = 190 de pulsaciones máximas teóricas por minuto. El 60 % de 190 es 114 pulsaciones/minuto.

  * 70 % de la FCM (**ritmo medio**, que permita hablar sin esfuerzo).

    Ej.: 70 % de 190 = 133.

  * 80 % de la FCM (**ritmo alto**, que se entrecorten las palabras a la hora de hablar).

    Ej.: 80 % de 190 = 152.

  * 90 % de la FCM (**ritmo muy alto**, que sea casi imposible hablar).

    Ej.: 90 % de 190 = 171. Si no coincide la percepción con el porcentaje de esfuerzo, el opositor deberá guiarse por las sensaciones físicas (y no por el valor que marca el pulsómetro)".

- **Recuperación**: tiempo de descanso entre cada serie. Hay dos tipos: activa (caminando, por ejemplo) y pasiva (parado en el sitio). También puede ser según el tiempo de recuperación: completa (el descanso es amplio y, prácticamente, las pulsaciones vuelven a su estado inicial) e incompleta (el corazón no recupera su pulso inicial antes del siguiente esfuerzo).

- **Estiramientos**: al acabar el entrenamiento, conviene relajar los músculos trabajados haciendo los estiramientos musculares, manteniendo la posición de forma estática unos 30-40 segundos, sin hacer rebotes y sin que haya dolor muscular, solo molestia y tensión. En carrera trabajan, sobre todo, los músculos del tren inferior. Habrá que estirar bien las piernas para una buena recuperación.

10. Observaciones de los entrenamientos de natación 50 metros

Observaciones:

- **Velocidad**: será justo la necesaria para mantener la intensidad y distancia requeridas. Es importante recorrer el espacio requerido en los programas. Para ello, hay que controlar el ritmo de nado y no ir demasiado rápido. Cuando sea nado continuo, lo importante es mantener el ritmo y no parar por completo.

- **Volumen de metros**: va a depender del nivel de cada usuario, siendo resultado de la realización del test de las pruebas físicas. Los opositores de nivel mayor tendrán entrenamientos de más metros y duración, y viceversa. Cada uno debe fijarse en la distancia correspondiente a su nivel y no realizar ningún otro. Si esto no se respeta, podría ser causa de lesión por sobreentrenamiento o mermar su rendimiento, según sea el caso.

- **Intensidad**: sería recomendable el uso de pulsómetro para controlar la frecuencia cardíaca. Hoy en día hay pulsómetros sumergibles. Teniendo en cuenta que la frecuencia cardíaca máxima se calcula con la fórmula de FCM = 220 - edad, trabajaremos con las siguientes intensidades, según el nivel de las pruebas físicas realizadas por cada opositor:

  * 60 % de la FCM (**ritmo bajo**, que no cueste apenas esfuerzo).

    Ejemplo: persona de 30 años. FCM = 220 - edad = 190 de pulsaciones máximas teóricas por minuto. El 60 % de 190 es 114 pulsaciones/minuto.

  * 70 % de la FCM (**ritmo medio**, que permita hablar sin esfuerzo).

    Ej.: 70 % de 190 = 133.

  * 80 % de la FCM (**ritmo alto**, que se entrecorten las palabras a la hora de hablar).

    Ej.: 80 % de 190 = 152.

  * 90 % de la FCM (**ritmo muy alto**, que sea casi imposible hablar).

    Ej.: 90 % de 190 = 171. Si no coincide la percepción con el porcentaje de esfuerzo, el opositor deberá guiarse por las sensaciones físicas (y no por el valor que marca el pulsómetro)".

- **Recuperación**: tiempo de descanso entre cada serie. Son menores que en carrera ya que con el hecho de estar de pie con la cabeza fuera del agua, el sistema aeróbico y anaeróbico se recupera rápido.
- **Estiramientos**: al acabar el entrenamiento, conviene relajar los músculos trabajados haciendo los estiramientos musculares, manteniendo la posición de forma estática unos 30-40 segundos, sin hacer rebotes y sin que haya dolor muscular, solo molestia y tensión. En natación trabajan prácticamente todos los grupos musculares del cuerpo, así que habrá que estirar tanto el tren superior como el inferior.

Nado a crol: el estilo más rápido

11. Test mensual tras la finalización de cada programa

Mes a mes, se debe realizar un nuevo test de las pruebas físicas en las condiciones lo más idénticas posible al día oficial. Esto se recomienda hacer una vez al mes, coincidiendo o no con el fin de cada programa y antes de comenzar el siguiente.

Se pueden realizar todas las pruebas el mismo día o hacerlas en dos días.

Se puede seguir la sucesión de cualquiera de estas dos formas. El mismo día de las pruebas no suele haber demasiado tiempo para calentamientos. Los candidatos suelen ser llamados en grupo y van pasando por cada una de las pruebas físicas. Las carreras y la natación se realizan en grupo, pero las pruebas de potencia de tren superior e inferior son de forma individual.

CAPÍTULO 16

Pautas para entrenar cada prueba

Índice

1. Introducción

A continuación se detalla el orden en el que habrá que realizar los entrenamientos, en el caso de hacer la práctica de mejora de todas las pruebas físicas en la misma sesión de entrenamiento.

Como se ha dicho anteriormente, son varias pruebas físicas a mejorar y se pueden entrenar seguidas o agrupar en dos entrenamientos: por un lado, musculación y natación; por otro, las dos carreras.

Sería conveniente **separar los dos tipos de entrenamiento**, al menos en dos horarios diferentes si se hacen el mismo día. Por ejemplo: un día entrenamiento de musculación y natación; y otro día entrenamiento de carrera. Si por disponibilidad no se puede realizar de esta forma, otra opción es realizarlos el mismo día, pero uno por la mañana y otro por la tarde.

2. Entrenamiento de dominadas y trepa de cuerda

Para la mejora de ambas pruebas, habrá que trabajar la fuerza del tren superior. Los ejercicios de musculación servirán para mejorar el resultado de esta prueba. Se alternará el uso del propio peso corporal y el uso de cargas externas como pueden ser mancuernas, barras o máquinas.

2.1. Dominadas

Quien no domine su peso corporal deberá usar la máquina de ayuda o asistida. Quien lo domine y pueda hacer más repeticiones de las indicadas, deberá ponerse lastre con peso en la cintura. Esto será en el caso de la prueba de dominadas.

Debido a que es una prueba cronometrada y se dispone de 30 segundos para realizarla, es conveniente entrenar las dominadas de una forma explosiva. No obstante, se deben evitar los balanceos y rebotes.

2.1. Trepa de cuerda

Quien no domine su peso corporal deberá comenzar con ejercicios en los que se tengan los pies apoyados en el suelo. De esta forma, los brazos no soportarán la totalidad del peso corporal.

Otra forma de hacer más sencillo el ascenso por la cuerda es hacer la presa de pies, algo que se permiten en otras oposiciones y que también libera carga corporal al tren superior. Esta presa consiste en pisar la cuerda con la planta de un pie sobre el empeine del otro. Así, se puede realizar una extensión de piernas que ayuda a subir usando el tren inferior como aporte de fuerza.

Esta es una prueba cronometrada y se dispone de 6 a 10 segundos para realizarla. La nota va a variar según el tiempo que se tarde en ascender los 5 metros para mujeres y 6 metros para hombres. Es conveniente entrenar dicha prueba de una forma explosiva. El movimiento de piernas será de ayuda. No se permite hacer presa con los pies, pero sí dar patadas para favorecer el impulso.

A la hora de comenzar la prueba, el aspirante se colocará de pie y agarrará la cuerda por debajo de la marca de los 2 metros de altura. Esta es la posición de partida. A pesar de ello, en los programas de entrenamiento aparecerán ejercicios de trepa de cuerda desde la posición de sentado, con el fin de dificultar el ejercicio y que luego resulte más sencillo subir dicha cuerda desde la posición de pie.

Con el fin de alcanzar gran altura en la trepa, aunque no se tenga la suficiente fuerza para ello, habrá ejercicios en los que se subirá la misma con la presa de pies. Esto es algo que facilita el ascenso por la cuerda ya que libera peso corporal a soportar por los miembros superiores. No obstante, la prueba no debe realizarse con la ayuda de dicha presa.

PROGRAMA / NIVEL	A	B	C	D	E
Muy bajo: 2 vueltas	8 series	10 series	12 series	10 series	12 series
Bajo: 3 vueltas	12 series	15 series	18 series	15 series	18 series
Medio: 4 vueltas	16 series	20 series	24 series	18 series	24 series
Alto: 5 vueltas	20 series	25 series	30 series	21 series	30 series
Muy alto: 6 vueltas	24 series	30 series	36 series	24 series	36 series

Relación del número de vueltas y series a realizar en los entrenamientos de musculación según el nivel medio obtenido en el test de dominadas y trepa de cuerda

Sabías que...

Para obtener la media entre los niveles de ambos test, hay que tener sumarlos y dividir entre dos el valor cualitativo. Ejemplo: opositor con nivel medio en dominadas y muy bajo en trepa de cuerda. El aspirante a Bombero debería realizar el número de series que dé la media entre en el entrenamiento de dominadas y el de trepa de cuerda. Ejemplo: con un nivel medio de dominadas son 4 vueltas y un nivel muy bajo de cuerda son 2 vueltas. La media se halla sumando ambos y dividiendo entre 2.

$$2 + 4 = 6$$

6 / 2= 3 vueltas a los ejercicios del entrenamiento de dominadas y trepa de cuerda.

Vídeos recomendados

Estiramientos tren superior

- **Pectoral**:
  http://youtu.be/PsCNDK9LdrM

- **Dorsal**:
  http://youtu.be/yzpN70vW2Ps

- **Hombro**:
  http://youtu.be/DPDFPkpJ2LY

- **Trapecio y cuello**:
  http://youtu.be/q2E-cOZ7s3I

- **Bíceps**:
  http://youtu.be/y-ieBQLHlQU

- **Tríceps**:
  http://youtu.be/EV7_9aEoN4w

- **Antebrazo**:
  http://youtu.be/lVoWOK3qm9o

- **Abdominal**:
  http://youtu.be/0edvO1_wcY4

- **Lumbar**:
  http://youtu.be/kh6sJsHOpfY

3. Entrenamiento de press de banca

Para la mejora de esta prueba habrá que trabajar la fuerza del tren superior. Los ejercicios de musculación servirán para mejorar el resultado de esta prueba. Se alternará el uso del propio peso corporal y el uso de cargas externas como pueden ser mancuernas, barras o máquinas.

El movimiento de flexión-extensión de brazos se realiza por medio de la articulación del codo y del hombro.

A la hora de contar los kilogramos a levantar, hay que tener en cuenta el peso de la barra. Con una longitud de 1,80 a 2,00 metros puede pesar desde 12 hasta 20 kilogramos (caso este último de una barra olímpica). Hay que adaptar el peso a levantar según el número de repeticiones que se indique en cada programa.

Alguna vez se pedirá realizar un número de repeticiones máximo con un peso determinado de antemano. Ejemplo: 3 series al máximo con 25 kg. Esto quiere decir que se deben hacer todas las repeticiones que se puedan con ese peso. Eso sí, es importante hacerlo con buena técnica y no caer en los errores típicos de la eliminación, según las bases de la convocatoria.

Dado que es una prueba cronometrada y se dispone de 30 segundos para realizarla, es conveniente entrenar de forma explosiva las repeticiones de press de banca. No obstante, se deben evitar los rebotes en el pecho.

Examen de press de banca

El aspirante también tendrá ejercicios que consistirán en manejar su cuerpo sin cargas externas. Las clásicas planchas o flexiones de brazo en suelo fortalecen los músculos implicados en el levantamiento de la barra de press de banca. Quien no domine su peso corporal deberá hacer flexiones con las rodillas apoyadas en el suelo. Quien lo domine puede hacer las repeticiones sin apoyar las mismas.

Cuanto más vertical es el plano en el que se hacen las flexiones, más fácil resulta ya que actúa menos el peso de la gravedad. El apoyo de las manos por encima del nivel del apoyo de pies conlleva un menor peso a levantar.

Flexiones con rodillas apoyadas: dificultad media

Flexiones inclinadas: dificultad alta

Si las manos están por debajo del nivel de los pies, el esfuerzo será mayor ya que implica menos el pectoral y más el hombro, teniendo menos fuerza este músculo.

Flexiones declinadas: dificultad muy alta

NIVEL \ PROGRAMA	A	B	C	D	E
Muy bajo: 2 vueltas	8 series	10 series	12 series	10 series	12 series
Bajo: 3 vueltas	12 series	15 series	18 series	15 series	18 series
Medio: 4 vueltas	16 series	20 series	24 series	20 series	24 series
Alto: 5 vueltas	20 series	25 series	30 series	25 series	30 series
Muy alto: 6 vueltas	24 series	30 series	36 series	30 series	36 series

Relación del número de vueltas y series a realizar en los entrenamientos de musculación según el nivel obtenido en el test de press banca

Vídeos recomendados

Estiramientos tren superior

- **Pectoral**: http://youtu.be/PsCNDK9LdrM

- **Dorsal**: http://youtu.be/yzpN70vW2Ps
- **Hombro**: http://youtu.be/DPDFPkpJ2LY

- **Trapecio y cuello**: http://youtu.be/q2E-cOZ7s3I

- **Bíceps**: http://youtu.be/y-ieBQLHIQU

- **Tríceps**: http://youtu.be/EV7_9aEoN4w

- **Antebrazo**: http://youtu.be/IVoWOK3qm9o

- **Abdominal**: http://youtu.be/0edvO1_wcY4

- **Lumbar**: http://youtu.be/kh6sJsHOpfY

4. Entrenamiento de salto horizontal a pies juntos

Para la mejora de esta prueba habrá que trabajar la fuerza del tren inferior. Los ejercicios de musculación servirán para mejorar el resultado de esta prueba. Se alternará el uso del propio peso corporal y el uso de cargas externas como pueden ser mancuernas, barras o máquinas.

El movimiento de flexión-extensión de piernas se realiza por medio de la articulación de la cadera y rodilla. En la fase final de impulso también ayuda la articulación del tobillo.

La potencia del tren inferior se puede trabajar por medio de ejercicios con cargas externas como sentadilla, prensa, etc. Pero también con ejercicios con el propio peso corporal, como son saltos de longitud, de altura... Eso sí, es importante hacerlo con buena técnica y no caer en los errores típicos de la eliminación, según las bases de la convocatoria.

El aspirante también tendrá ejercicios que consistirán en manejar su cuerpo sin cargas externas. Los saltos a una y dos piernas le ayudarán a mejorar la fuerza extensora de las piernas.

El trabajo de la zona central del cuerpo (abdominal y lumbar) también adquiere gran protagonismo ya que ayuda mucho a un movimiento explosivo como es el salto de longitud. Por lo tanto, estos músculos serán ejercitados en los entrenamientos, contribuyendo con ello también a la mejora de la prueba de resistencia abdominal.

Salto de longitud sobre colchoneta

Los saltos deberán realizarse sobre una superficie que no sea demasiado dura. Habría que evitar el asfalto o cemento, por ejemplo. El impulso se realiza con toda la planta del pie apoyada en el suelo. Pero el primer contacto tras el salto, debería ser con el antepié (parte delantera del pie) para evitar el excesivo impacto en las articulaciones.

PROGRAMA / NIVEL	A	B	C	D	E
Muy bajo: 2 vueltas	6 series	6 series	8 series	6 series	6 series
Bajo: 3 vueltas	9 series	9 series	12 series	9 series	9 series
Medio: 4 vueltas	12 series	12 series	16 series	12 series	12 series
Alto: 5 vueltas	15 series	15 series	20 series	15 series	15 series
Muy alto: 6 vueltas	18 series	18 series	24 series	18 series	18 series

Relación del número de vueltas y series a realizar en los entrenamientos.

 Vídeos recomendados

Estiramientos del tren inferior:

- **Pierna - Cuádriceps**: http://youtu.be/RwT73-nA7zY 
- **Pierna - Femoral**: http://youtu.be/TPTFDcBfb-I 
- **Pierna - Psoas**: http://youtu.be/ccgF49K67IQ 
- **Pierna - Glúteo**: http://youtu.be/ZY36iUpxIdI 
- **Pierna - Aductor**: http://youtu.be/BluyC7WQj2g 
- **Pierna - Abductor**: http://youtu.be/LVYZhUIXjCA 
- **Pierna - Gemelo**: http://youtu.be/qLciWStcqmI 
- **Pierna - Sóleo**: http://youtu.be/1flIpjvmO_g 

5. Entrenamiento de velocidad 100 metros

Será un entrenamiento destinado a mejorar la velocidad de reacción, velocidad de desplazamiento, aceleración, agilidad, coordinación y flexibilidad.

Con diferencia, es la prueba que más lentamente se mejora ya que la velocidad es una cualidad más innata que la fuerza y la resistencia.

Será importante la herencia genética y la cantidad de fibras rápidas que haya en el músculo de cada aspirante. No obstante, con esfuerzo y dedicación, se puede mejorar considerablemente.

El sprint de 100 metros se entrena un día semanal, siendo recomendable a principios de la semana, cuando se supone que el cuerpo está más descansado porque lleva menos entrenamientos.

Dado que la carrera de 100 metros tiene una gran implicación muscular, es importante realizar un buen calentamiento con el fin de evitar posibles lesiones.

Habrá que comenzar con una carrera a ritmo cómodo para calentar. Posteriormente, es conveniente realizar algunos ejercicios de una mayor intensidad como son los de técnica de carrera y alguna progresión. Todo ello se lleva a cabo antes del trabajo específico en la parte principal del entrenamiento de velocidad.

Para el entrenamiento de la carrera de 100 metros lisos hay varios **factores a mejorar**:

- **Velocidad de reacción**: consiste en ponerse en marcha y comenzar la prueba, una vez escuchado el estímulo sonoro (pistola electrónica). Se trabajará por medio de algún sonido externo al opositor (silbado, palmada, etc.).

- **Capacidad de aceleración**: referida al cambio de una posición estática al estado de movimiento. Se harán ciertos ejercicios para mejorarla, como son los de técnica de carrera, frecuencia de movimientos de tren inferior y superior, etc.

- **Velocidad de desplazamiento**: se mejora mediante el trabajo de la potencia y amplitud de movimientos.

Ejercicio de frecuencia de movimientos: rodillas arriba

Ejercicio de frecuencia de movimientos: talones atrás

También tiene especial importancia el trabajo de la **flexibilidad** por medio de estiramientos, ya que como lo indican McAtee y Charland *"Ayudan a prevenir lesiones, mejoran el rendimiento, promueven la percepción del propio cuerpo, estimulan el riego sanguíneo y sirven para relajarse y centrarse mentalmente"*.

Vídeos recomendados

Estiramientos tren inferior

- **Pierna - Cuádriceps**:
  http://youtu.be/RwT73-nA7zY

- **Pierna - Femoral**:
  http://youtu.be/TPTFDcBfb-I

- **Pierna - Psoas**:
  http://youtu.be/ccgF49K67lQ

140. ESTIRAMIENTOS - Pierna - Psoas

- **Pierna - Glúteo**:
  http://youtu.be/ZY36iUpxldl

- **Pierna - Aductor**:
  http://youtu.be/BluyC7WQj2g

- **Pierna - Abductor**:
  http://youtu.be/LVYZhUlXjCA

- **Pierna - Gemelo**:
  http://youtu.be/qLciWStcqml

- **Pierna - Sóleo**:
  http://youtu.be/1fllpjvmO_g

145. ESTIRAMIENTOS - Pierna - Sóleo

6. Entrenamiento de resistencia 2800 o 2650 metros

Esta prueba de fondo consiste en recorrer en el menor tiempo posible la distancia de 2800 metros para hombres y 2650 metros para mujeres.

Habrá que entrenar la resistencia aeróbica y anaeróbica dado que en una carrera de estas distancias intervienen ambos sistemas de energía.

Los entrenamientos vendrán especificados en los programas en sí. Cada uno implicará un volumen e intensidad diferente. Serán dos días semanales los que se entrene esta prueba.

Hay que tener en cuenta que es una prueba relativamente rápida, en la que se necesita una base aeróbica, pero con una buena técnica de carrera y tolerancia a las pulsaciones altas. El hecho de ser capaz de correr durante un tiempo a ritmo medio, con pulsaciones cómodas (60 - 70 % de la frecuencia cardíaca máxima), no va a significar que se puedan realizar las distancias de 2800 o 2650 metros en un buen tiempo. Esta es una prueba en la que las pulsaciones pueden llegar a un 90 % de la FCM del aspirante.

Por tanto, tiene gran importancia el entrenamiento del sistema anaeróbico de tipo láctico y aláctico, en el que hay una acumulación de ácido láctico. Se entrenará la tolerancia a las pulsaciones altas y se procurará aumentar el umbral anaeróbico (ver Conceptos fundamentales, capítulo 3).

Se recomienda correr al aire libre y no en una cinta o tapiz rodante de gimnasio. El opositor debe acostumbrarse desde un principio a tener que impulsar su cuerpo para desplazarse y en una cinta eso no sucede ya que se mueve sola. Además, conviene tener la experiencia de correr con aire (en los espacios cerrados no hay viento y el día de la prueba sí que puede haber).

Después de finalizar el entrenamiento se recomienda estirar todos los músculos implicados, con el fin de reducir agujetas y favorecer la recuperación de cara al siguiente entrenamiento.

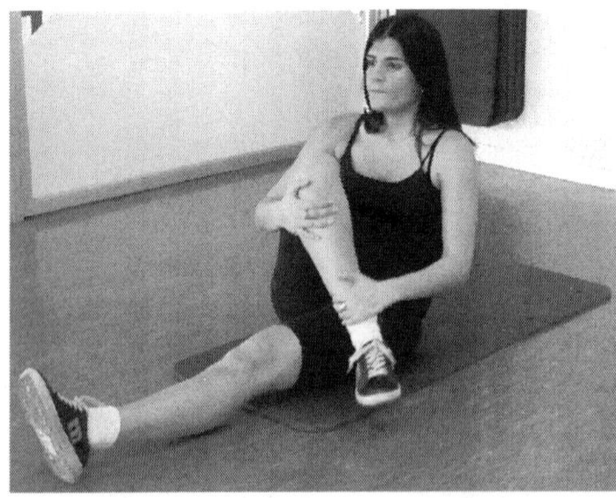

Estiramiento de pierna

Videos recomendados

- **Correr al aire libre:**
  http://youtu.be/lYgn7hGGm64

- **Pierna - Cuádriceps**:
  http://youtu.be/RwT73-nA7zY

- **Pierna - Femoral**:
  http://youtu.be/TPTFDcBfb-I

- **Pierna - Psoas**:
  http://youtu.be/ccgF49K67lQ

- **Pierna - Glúteo**:
  http://youtu.be/ZY36iUpxldl

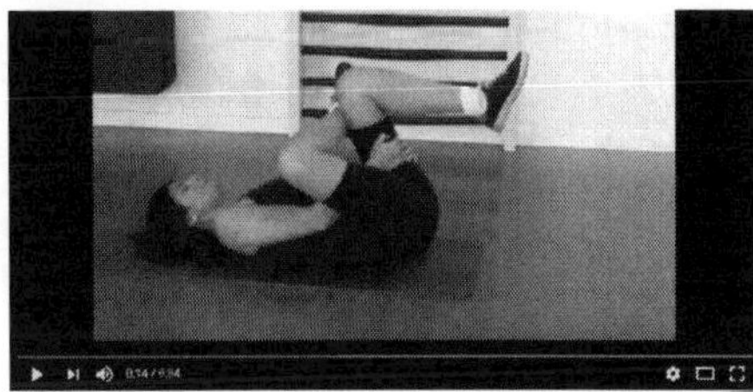

141. ESTIRAMIENTOS - Pierna - Glúteo

- **Pierna - Aductor**:
  http://youtu.be/BluyC7WQj2g

- **Pierna - Abductor**:
  http://youtu.be/LVYZhUlXjCA

- **Pierna - Gemelo**:
  http://youtu.be/qLciWStcqml

144. ESTIRAMIENTOS - Pierna - Gemelo

- **Pierna - Sóleo**:
  http://youtu.be/1fllpjvmO_g

7. Entrenamiento de natación 50 metros

Los entrenamientos de natación seguirán el siguiente formato:

- Calentamiento.
- Parte principal.
- Vuelta a la calma.

Sobre todo, se entrenará el estilo más rápido: el crol. No obstante, se practicará también la espalda y la braza. En cuestión de la forma de nado a mariposa, no se hará nada debido a su complejidad y poca transferencia al crol.

El volumen de metros va a depender del estado de forma física inicial de cada opositor, hallado este con el test de las cuatro pruebas físicas.

Finalización de un entrenamiento de natación

Después de finalizar el entrenamiento se recomienda estirar todos los músculos implicados, con el fin de reducir agujetas y favorecer la recuperación de cara al siguiente entrenamiento. Como es un ejercicio que trabaja el tren superior e inferior, habrá que estirar prácticamente todo el cuerpo.

Entrada de cabeza al agua

 Vídeos recomendados

Estiramientos tren superior

- **Pectoral**:
  http://youtu.be/PsCNDK9LdrM 

129. ESTIRAMIENTOS - Pectoral

- **Dorsal**:
  http://youtu.be/yzpN70vW2Ps 
- **Hombro**:
  http://youtu.be/DPDFPkpJ2LY 
- **Trapecio y cuello**:
  http://youtu.be/q2E-cOZ7s3I 
- **Bíceps**:
  http://youtu.be/y-ieBQLHlQU 
- **Tríceps**:
  http://youtu.be/EV7_9aEoN4w 
- **Antebrazo**:
  http://youtu.be/lVoWOK3qm9o 
- **Abdominal**:
  http://youtu.be/0edvO1_wcY4 
- **Lumbar**:
  http://youtu.be/kh6sJsHOpfY 

137. ESTIRAMIENTOS - Lumbar

Vídeos recomendados

Estiramientos tren inferior

- **Pierna - Cuádriceps**: http://youtu.be/RwT73-nA7zY 
- **Pierna - Femoral**: http://youtu.be/TPTFDcBfb-I 
- **Pierna - Psoas**: http://youtu.be/ccgF49K67lQ 
- **Pierna - Glúteo**: http://youtu.be/ZY36iUpxldl 
- **Pierna - Aductor**: http://youtu.be/BluyC7WQj2g 
- **Pierna - Abductor**: http://youtu.be/LVYZhUlXjCA 
- **Pierna - Gemelo**: http://youtu.be/qLciWStcqml 
- **Pierna - Sóleo**: http://youtu.be/1fllpjvmO_g 

CAPÍTULO 17

Explicación y desarrollo de los periodos de entrenamiento

Índice

1. Introducción

 Recuerda que...

La planificación para la preparación de las pruebas físicas tendrá cuatro periodos en los que se engloban diversos programas de entrenamiento.

La siguiente tabla comprende la duración de los programas, relacionando el tiempo disponible antes del día de las pruebas oficiales y el tipo de periodo.

Periodo \ Tiempo	10 meses	9 meses	8 meses	7 meses	6 meses	5 meses	4 meses	3 meses
Preparatorio general	Programa A: 2 meses Programa B: 2 meses	Programa A: 2 meses Programa B: 1 mes	Programa A: 1 mes Programa B: 2 meses	Programa A: 1 mes Programa B: 2 meses	Programa A: 1 mes Programa B: 1 meses	Programa A: 1 mes Programa B: 1 meses	Programa A: 2 semanas Programa B: 2 semanas	Programa A: 2 semanas Programa B: 2 semanas
Preparatorio específico	Programa C: 2 meses	Programa C: 2 meses	Programa C: 1 mes	Programa C: 1 mes	Programa C: 1 mes	Programa C: 1 mes	Programa C: 1 mes	Programa C: 1 mes
Competitivo general	Programa D: 2 meses	Programa D: 2 meses	Programa D: 2 meses	Programa D: 2 meses	Programa D: 2 meses	Programa D: 1 mes	Programa D: 1 mes	Programa D: 2 semanas
Competitivo específico	Programa E: 2 meses	Programa E: 2 meses	Programa E: 2 meses	Programa E: 1 mes	Programa E: 1 mes	Programa E: 1 mes	Programa E: 1 mes	Programa E: 2 semanas

Duración de los programas en función del tiempo restante hasta la realización de las pruebas

El opositor deberá realizar los **4 periodos con sus correspondientes 5 programas**, independientemente del tiempo que le quede hasta la fecha del examen oficial de las pruebas físicas. Reducir o aumentar la duración de cada uno de los programas hará que la planificación se vea afectada y que el opositor no llegue con un estado óptimo de forma física al día de las pruebas.

2. Periodo preparatorio general

Es la primera etapa de preparación física en la cual se comienza con entrenamientos generales, trabajando las cualidades físicas básicas y desarrollando todos los músculos, tanto los implicados en las pruebas como los que no. Es un periodo necesario para crear una base aeróbica y muscular y, así, evitar posibles lesiones en un futuro cuando los entrenamientos sean más específicos.

Sirve para que no haya futuras descompensaciones en la musculatura. Es un error caer en la especificidad del entrenamiento ya desde el principio de la preparación de las pruebas físicas de acceso. Se debe ir de lo más general a lo más específico con una estructura y secuencia lógica. Para ello, hay que ir periodo a periodo, sin saltarse ninguno.

En cuanto al tipo de carga, destacar que el volumen y la intensidad serán bajos al principio, pero irán incrementando progresivamente e incluso llegará a haber una notable diferencia a favor del volumen.

 Recuerda que...

Para entender correctamente la distribución de las cargas de entrenamiento, se recomienda volver a leer las definiciones de carga, intensidad y volumen en el Capítulo 3.

Este Periodo Preparatorio General está compuesto por dos programas de entrenamiento deportivo con duración variable, según el tiempo disponible del opositor hasta el día de las pruebas.

3. Periodo preparatorio específico

Es la segunda etapa de preparación para las pruebas físicas. Comienza a hacerse un poco más específico el entrenamiento, buscando el protagonismo de las cualidades físicas básicas y los músculos principales en cada una de las pruebas, sin desentenderse de los secundarios.

Respecto a la carga, el volumen empieza a reducirse y la intensidad aumenta progresivamente.

Este periodo está compuesto por un único programa de entrenamiento deportivo y su duración depende del tiempo disponible del opositor hasta el día de las pruebas oficiales.

4. Periodo competitivo general

Es la tercera etapa de preparación física. Se comienza a buscar el ritmo de competición, es decir, la simulación de las características de cada prueba.

En cuanto a la carga, los valores del volumen siguen disminuyendo y los de intensidad aumentan hasta su pico máximo.

Este periodo conlleva un programa de entrenamiento de duración variable según el tiempo restante hasta el día de las pruebas.

5. Periodo competitivo específico

Es la cuarta y última etapa de preparación. Consiste en una puesta a punto para llegar con el máximo nivel posible al día de las pruebas físicas oficiales. Los ejercicios de los entrenamientos son totalmente específicos y buscan simular cada una de las pruebas al detalle.

Atendiendo a la carga, la intensidad sigue en su máximo valor y el volumen vuelve a aumentar, alcanzando un valor casi tan alto como la intensidad.

Está compuesto por un programa de entrenamiento en el que la duración depende del tiempo disponible del opositor hasta el día de las pruebas.

CAPÍTULO 18

Periodo preparatorio general: programas A y B

Índice

1. Introducción

Es necesario realizar todos los programas (A, B, C, D y E) durante el tiempo estipulado en el Capítulo 17 "Explicación y desarrollo de los periodos de entrenamiento", que irá en función del tiempo restante hasta la fecha de las pruebas físicas oficiales.

2. Programa A

2.1. Entrenamiento de dominadas y trepa de cuerda

En este tipo de entrenamiento las consideraciones a tener en cuenta son:

- **Repeticiones**: 10 de cada uno de los ejercicios. En el caso de la prueba de barra, se puede utilizar una máquina de dominadas asistidas o una goma de ayuda para lograr llegar a dichas repeticiones.
- **En circuito**: las vueltas dependerán del nivel obtenido en las pruebas. Ejemplo: 10 repeticiones del ejercicio 1, 10 del ejercicio 2... así hasta el último y se vuelve a empezar, haciendo el número de vueltas correspondiente al nivel obtenido en las pruebas.

- **Series**: dependerá del número de vueltas en que se realice el circuito.
- **Intensidad**: media, que no cueste llegar a la última repetición.
- **Recuperación**: entre ejercicios, es lo que lleve desplazarse de uno a otro. Entre vueltas, es de 1 minuto.
- **Velocidad**: moderada, ni rápida ni lenta.

ENTRENAMIENTO 1	ENTRENAMIENTO 2	ENTRENAMIENTO 3
1. Dominadas	1. Press hombros con mancuernas	1. Trepa de cuerda con apoyo de pies y rodillas flexionadas
2. Encogimientos normales	2. Encogimientos normales	2. Encogimientos normales
3. Remo en máquina agarre estrecho	3. Bíceps alterno con giro de mancuerna	3. Remo en máquina agarre estrecho
4. Elevaciones de pelvis para abdominal con piernas a 90º	4. Elevaciones de pelvis para abdominal con piernas a 90º	4. Elevaciones de pelvis para abdominal con piernas a 90º

Entrenamiento de dominadas y trepa de cuerda, programa A

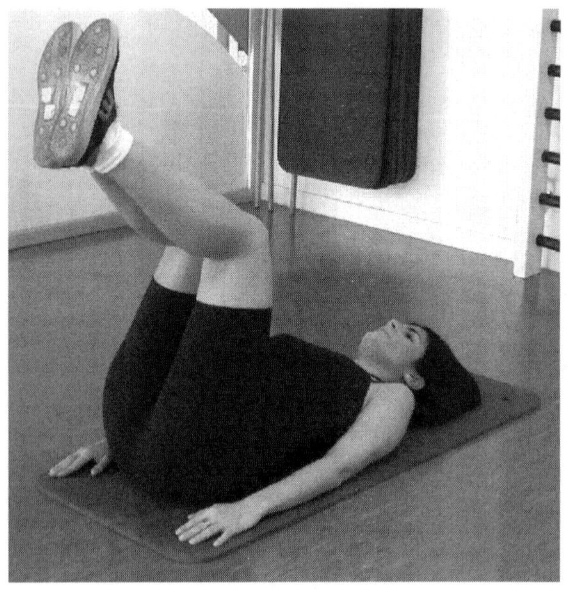

Abdominales elevación de pelvis

Vídeos recomendados

- **Dominadas**:
  http://youtu.be/POiA-X_sSNI

- **Press con mancuernas**:
  http://youtu.be/etBfeWlG3UI

- **Encogimientos normales**:
  http://youtu.be/8kAtiCfSPAM

- **Trepa de cuerda con apoyo de pies y piernas flexionadas:**
  https://www.youtube.com/watch?v=EX8f6Jk4k24

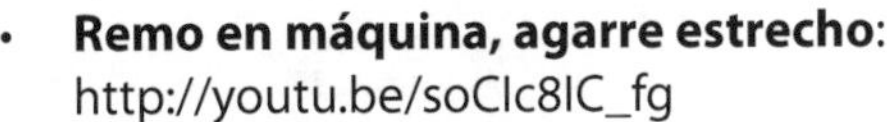

- **Remo en máquina, agarre estrecho**:
  http://youtu.be/soClc8lC_fg

- **Curl con mancuernas, giro alterno**:
  http://youtu.be/Nq34NX-XbSE

- **Elevación de pelvis**:
  http://youtu.be/MtQQgPfX_LI

Trepa de cuerda con apoyo de pies y piernas flexionadas

2.2. Entrenamiento de press de banca

En este tipo de entrenamiento las consideraciones a tener en cuenta son:

- **Repeticiones**: 10 de cada uno de los ejercicios.
- **En circuito**: las vueltas dependerán del nivel obtenido en las pruebas. Ejemplo: 10 repeticiones del ejercicio 1, 10 del ejercicio 2... así hasta el último y se vuelve a empezar, haciendo el número de vueltas correspondiente al nivel obtenido en las pruebas.
- **Series**: dependerá del número de vueltas en que se realice el circuito.
- **Intensidad**: media, que no cueste llegar a la última repetición.

Press vertical

- **Recuperación**: entre ejercicios, es lo que lleve desplazarse de uno a otro. Entre vueltas, es de 1 minuto.
- **Velocidad**: moderada, ni rápida ni lenta.

ENTRENAMIENTO 1	ENTRENAMIENTO 2	ENTRENAMIENTO 3
1. Flexiones de brazo (si es necesario, apoyar rodillas para llegar a las 10 repeticiones)	1. Press hombros con mancuernas	1. Press vertical para pecho
2. Encogimientos normales	2. Encogimientos normales	2. Encogimientos normales
3. Aperturas planas con mancuernas	3. Extensión de tríceps en polea alta	3. Aperturas planas con mancuernas
4. Elevaciones de pelvis para abdominal con piernas a 90°	4. Elevaciones de pelvis para abdominal con piernas a 90°	4. Elevaciones de pelvis para abdominal con piernas a 90°

Entrenamiento de press de banca, programa A

Vídeos recomendados

- **Flexiones normales**:
  http://youtu.be/o1uEOySgqel

- **Flexiones con rodillas apoyadas**:
  http://youtu.be/cay0sCjaY2s

- **Flexiones con manos apoyadas en pared**:
  http://youtu.be/yEshJMmWsil

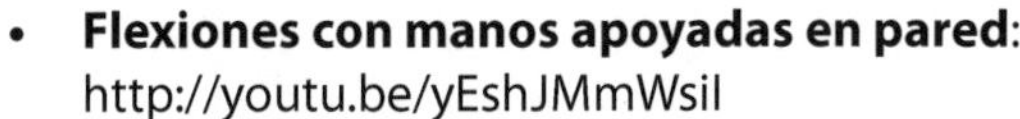

- **Press con mancuernas**:
  http://youtu.be/etBfeWlG3Ul

- **Encogimientos normales**:
  http://youtu.be/8kAtiCfSPAM

- **Elevación de pelvis**:
  http://youtu.be/MtQQgPfX_Ll

- **Aperturas planas con mancuernas**:
  http://youtu.be/5mqzr MArDwg

- **Extensión en polea alta con barra**:
  http://youtu.be/RU_xplYhPFM

2.3. Entrenamiento de salto horizontal a pies juntos

En este tipo de entrenamiento las consideraciones a tener en cuenta son:

- **Repeticiones**: 10 de cada uno de los ejercicios.
- **En circuito**: las vueltas dependerán del nivel obtenido en las pruebas. Ejemplo: 10 repeticiones del ejercicio 1, 10 del ejercicio 2... así hasta el último y se vuelve a empezar, haciendo el número de vueltas correspondiente al nivel obtenido en las pruebas.
- **Series**: dependerá del número de vueltas en que se realice el circuito.
- **Intensidad**: media, que no cueste llegar a la última repetición.

- **Recuperación**: entre ejercicios, es lo que lleva desplazarse de uno a otro. Entre vueltas, es de 1 minuto.
- **Velocidad**: moderada, ni rápida ni lenta.

Encogimiento abdominal

ENTRENAMIENTO 1	ENTRENAMIENTO 2	ENTRENAMIENTO 3
1. Encogimientos normales	1. Encogimientos normales	1. Encogimientos normales
2. Elevación de pierna y brazo contrario en cuadrupedia	2. Elevación de pierna y brazo contrario en cuadrupedia	2. Elevación de pierna y brazo contrario en cuadrupedia
3. Saltos de longitud a dos piernas	3. Saltos de longitud a dos piernas	3. Saltos de longitud a dos piernas

Entrenamiento de salto horizontal, programa A

- **Encogimientos normales**: http://youtu.be/8kAtiCfSPAM 
- **Elevación de pierna y brazo contrario en cuadrupedia** http://youtu.be/GBhZXM_dzoY 
- **Saltos de longitud a dos piernas**: https://www.youtube.com/watch?v=F2Zl3CuqRto 

2.4. Entrenamiento de velocidad 100 metros

En este tipo de entrenamiento las consideraciones a tener en cuenta son:

- Intensidad:

  * **Baja**, que no cueste apenas esfuerzo. 60 % de la FCM.
  * **Media**, que permita hablar sin esfuerzo. 70 % de la FCM.
  * **Alta**, que se entrecorten las palabras a la hora de hablar. 80 % de la FCM.
  * **Muy alta**, que sea casi imposible hablar. 90 % de la FCM.

  Ejemplo: persona de 30 años. FCM = 220 - edad = 190 de pulsaciones máximas teóricas por minuto. El 70 % de 190 es 133 pulsaciones/minuto.

  Las denominadas progresiones consisten en una carrera de distancia corta en la que la velocidad se va aumentando progresivamente desde el comienzo hasta el final de dicho espacio a recorrer. Es decir, se comienza corriendo a un ritmo bajo y se va aumentando hasta la intensidad solicitada.

  A diferencia de la progresión, el sprint se realiza a gran velocidad ya desde el principio.

- Recuperación entre progresiones y ejercicios de técnica de carrera: el tiempo que cueste volver caminando al punto de partida.
- Estiramientos: al acabar se deben estirar las piernas manteniendo la posición sin hacer rebotes durante 30-40 segundos.

ENTRENAMIENTO	
Nivel muy bajo	10 minutos carrera, intensidad media Técnica de carrera: rodillas arriba. 3 series de 10 metros 4 progresiones de 40 metros acabando con una intensidad media 10 minutos carrera, intensidad media
Nivel bajo	15 minutos carrera, intensidad media Técnica de carrera: rodillas arriba. 4 series de 10 metros 6 progresiones de 40 metros acabando con una intensidad media 15 minutos carrera, intensidad media

.../...

.../...

Nivel medio	10 minutos carrera, intensidad media Técnica de carrera: rodillas arriba. 5 series de 15 metros 4 progresiones de 60 metros acabando con una intensidad media 10 minutos carrera, intensidad media
Nivel alto	15 minutos carrera, intensidad media Técnica de carrera: rodillas arriba. 6 series de 20 metros 5 progresiones de 80 metros acabando con una intensidad alta 15 minutos carrera, intensidad media
Nivel muy alto	15 minutos carrera, intensidad media Técnica de carrera: rodillas arriba. 7 series de 20 metros 6 progresiones de 80 metros acabando con una intensidad alta 15 minutos carrera, intensidad media

Entrenamiento de carrera de 50 metros, programa A

- **Carrera rodillas arriba**:
  https://youtu.be/UFaOSRA7Rsg

- **Carrera salida sprint**:
  https://youtu.be/M3cjURMmnF4

161.CARRERA - Salida sprint

Salida en una progresión

2.5. Entrenamiento carrera de resistencia 2800 o 2650 metros

En este tipo de entrenamiento las consideraciones a tener en cuenta son:

- Intensidad:

  * **Baja**, que no cueste apenas esfuerzo. 60 % de la FCM.

  * **Media**, que permita hablar sin esfuerzo. 70 % de la FCM.

  * **Alta**, que se entrecorten las palabras a la hora de hablar. 80 % de la FCM.

  * **Muy alta**, que sea casi imposible hablar. 90 % de la FCM.

  Ejemplo: persona de 30 años. FCM = 220 - edad = 190 de pulsaciones máximas teóricas por minuto. El 70 % de 190 es 133 pulsaciones/minuto.

- Estiramientos: al acabar se deben estirar las piernas manteniendo la posición sin hacer rebotes durante 30-40 segundos.

	ENTRENAMIENTO 1	ENTRENAMIENTO 2	ENTRENAMIENTO 3
Nivel muy bajo	30 minutos carrera, intensidad media	30 minutos carrera, intensidad media	30 minutos carrera, intensidad media
Nivel bajo	35 min carrera, intensidad media	35 min carrera continua, intensidad media	35 min caminando, intensidad alta
Nivel medio	40 min carrera continua, intensidad media	40 min carrera continua, intensidad media	40 min carrera continua, intensidad media
Nivel alto	45 min carrera continua, intensidad media	50 min carrera continua, intensidad media	45 min carrera continua, intensidad media
Nivel muy alto	50 min carrera continua, intensidad media	55 min carrera continua, intensidad media	50 min carrera continua, intensidad media

Entrenamiento de carrera de fondo, programa A

2.6. Entrenamiento de natación 50 metros

Observaciones en los entrenamientos de natación:

- Intensidad: media.
- Estilos: vienen determinados. Si pone "estilo libre", significa que es a libre elección (no tiene por qué ser crol).
- Distancia a realizar: viene determinada en metros, aunque solo ponga un dato numérico.
- Recuperación: se hace de forma vertical, dentro del agua pero con los pies apoyados.
- Estiramientos: al acabar se deben estirar los brazos y piernas manteniendo la posición sin hacer rebotes durante 30-40 segundos.

	ENTRENAMIENTO 1	ENTRENAMIENTO 2	ENTRENAMIENTO 3
Nivel muy bajo	150 metros braza 4 x 100 pies crol con tabla 1. Rec: 40 seg 150 metros braza	50 metros estilo libre 4 x 200 rasca pulgar. Rec: 40 segundos 150 metros estilo libre	150 metros braza 4 x 100 pies crol con tabla 1. Rec: 40 seg 150 metros braza
Nivel bajo	200 metros estilo libre 6 x 100 pies crol con tabla 1. Rec: 40 seg 200 metros estilo libre	200 metros estilo libre 6 x 150 rasca pulgar. Rec: 40 segundos 200 metros estilo libre	200 metros estilo libre 6 x 100 pies crol con tabla 1. Rec: 40 seg 200 metros estilo libre
Nivel medio	200 metros estilo libre 6 x 50 pies crol con tabla 1. Rec: 30 seg 4 x 150 espalda. Rec: 30 segundos 200 metros estilo libre	200 metros estilo libre 4 x 150 rasca pulgar. Rec: 30 segundos 4 x 10 braza. Rec: 20 segundos 200 metros estilo libre	200 metros estilo libre 6 x 50 pies crol con tabla 1. Rec: 30 seg 4 x 150 espalda. Rec: 30 segundos 200 metros estilo libre
Nivel alto	200 metros estilo libre 6 x 75 pies crol con tabla 1. Rec: 25 seg 4 x 100 espalda. Rec: 25 segundos 8 x 50 crol ritmo alto. Rec: 30 segundos 200 metros estilo libre	200 metros estilo libre 4 x 200 rasca pulgar. Rec: 25 segundos 4 x 50 braza. Rec: 20 segundos 10 x 25 crol. Rec: 20 segundos 200 metros estilo libre	200 metros estilo libre 6 x 75 pies crol con tabla 1. Rec: 25 seg 4 x 100 espalda. Rec: 25 segundos 8 x 50 crol ritmo alto. Rec: 30 segundos 200 metros estilo libre
Nivel muy alto	400 metros estilo libre 4 x 100 pies crol con tabla 1. Rec: 25 seg 4 x 50 espalda. Rec: 25 segundos 10 x 50 crol ritmo alto. Rec: 30 segundos 400 metros estilo libre	400 metros estilo libre 4 x 100 rasca pulgar. Rec: 25 segundos 4 x 50 braza. Rec: 20 segundos 14 x 25 crol. Rec: 25 segundos 400 metros estilo libre	400 metros estilo libre 4 x 100 pies crol con tabla 1. Rec: 25 seg 4 x 50 espalda. Rec: 25 segundos 10 x 50 crol ritmo alto. Rec: 30 segundos 400 metros estilo libre

Entrenamiento de natación 50 metros, programa A

Vídeos recomendados

- **Estilo crol**:
  https://youtu.be/A1D-_iZS6ls 
- **Estilo braza**:
  https://youtu.be/_hE-_IsEx-o 
- **Estilo crol pies tabla 1**:
  https://youtu.be/OaOVm--6Wws 
- **Estilo espalda**:
  https://youtu.be/Itt23Cr2X94 
- **Estilo crol rasca pulgar**:
  https://youtu.be/7LG5Mg-EYCs 

Ejercicio de pulgar rasca axila

IMPORTANTE: se debe realizar el test de todas las pruebas físicas antes de comenzar el siguiente programa. Puede que el nivel del opositor haya cambiado.

3. Programa B

Se debe realizar durante el tiempo indicado en el Capítulo 17.

3.1. Entrenamiento de dominadas y trepa de cuerda

En este tipo de entrenamiento las consideraciones a tener en cuenta son:

- **Repeticiones**: 12 de cada uno de los ejercicios. En el caso de la prueba de barra, se puede utilizar una máquina de dominadas asistidas o una goma de ayuda para lograr llegar a dichas repeticiones.
- **En circuito**: las vueltas dependerán del nivel obtenido en las pruebas.

  Ejemplo: 12 repeticiones del ejercicio 1, 12 del ejercicio 2... así hasta el último y se vuelve a empezar, haciendo el número de vueltas correspondiente al nivel obtenido en las pruebas.
- **Series**: dependerá del número de vueltas realizadas en el circuito.
- **Intensidad**: media-alta, que cueste un poco llegar a la última repetición.
- **Recuperación**: entre ejercicios, es lo que lleve desplazarse de uno a otro. Entre vueltas es de 1 minuto.
- **Velocidad**: moderada, ni rápida ni lenta.

Trepa de cuerda con apoyo de pies y piernas extendidas

ENTRENAMIENTO 1	ENTRENAMIENTO 2	ENTRENAMIENTO 3
1. Dominadas	1. Elevación lateral con mancuernas	1. Jalón al pecho agarre estrecho
2. Encogimientos normales	2. Encogimientos normales	2. Encogimientos normales
3. Trepa de cuerda con pies apoyados y rodillas extendidas	3. Bíceps alterno con giro de mancuerna	3. Remo en máquina agarre estrecho
4. Elevaciones de pelvis para abdominal con piernas a 90º	4. Elevaciones de pelvis para abdominal con piernas a 90º	4. Elevaciones de pelvis para abdominal con piernas a 90º
5. Jalón al pecho agarre estrecho	5. Press francés para tríceps	5. Flexiones de brazos (con o sin rodillas apoyadas en el suelo)

Entrenamiento de dominadas y trepa de cuerda, programa B

Flexo-extensiones de brazo normales

 Vídeos recomendados

- **Dominadas**:
  http://youtu.be/POiA-X_sSNI

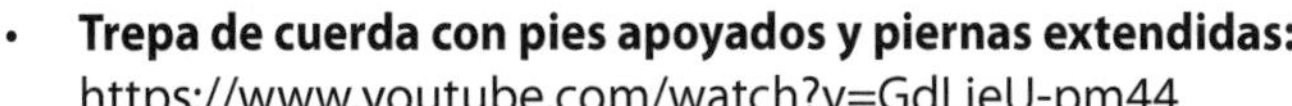

- **Trepa de cuerda con pies apoyados y piernas extendidas:**:
  https://www.youtube.com/watch?v=GdLieU-pm44

- **Jalón al pecho agarre estrecho**:
  http://youtu.be/2oySz9COBIY

- **Encogimientos normales**:
  http://youtu.be/8kAtiCfSPAM

- **Elevaciones laterales con mancuernas**:
  http://youtu.be/Xq4YLJw61Ak

- **Remo en máquina, agarre estrecho**:
  http://youtu.be/soClc8IC_fg

- **Curl con mancuernas, giro alterno**:
  http://youtu.be/Nq34NX-XbSE

- **Elevación de pelvis**:
  http://youtu.be/MtQQgPfX_LI

- **Flexiones normales**:
  http://youtu.be/o1uEOySgqel

- **Flexiones con rodillas apoyadas**:
  http://youtu.be/cay0sCjaY2s

- **Press francés con mancuernas**:
  http://youtu.be/DMKGl9wrDO8

3.2. Entrenamiento de press de banca

En este tipo de entrenamiento las consideraciones a tener en cuenta son:

- **Repeticiones**: 12 de cada uno de los ejercicios.
- **En circuito**: las vueltas dependerán del nivel obtenido en las pruebas.

  Ejemplo: 12 repeticiones del ejercicio 1, 12 del ejercicio 2... así hasta el último y se vuelve a empezar, haciendo el número de vueltas correspondiente al nivel obtenido en las pruebas.

- **Series**: dependerá del número de vueltas realizadas en el circuito.
- **Intensidad**: media-alta, que cueste un poco llegar a la última repetición.
- **Recuperación**: entre ejercicios, es lo que lleva desplazarse de uno a otro. Entre vueltas es de 1 minuto.
- **Velocidad**: moderada, ni rápida ni lenta.

ENTRENAMIENTO 1	ENTRENAMIENTO 2	ENTRENAMIENTO 3
1. Press de banca con barra	1. Elevación lateral con mancuernas	1. Jalón al pecho agarre estrecho
2. Encogimientos normales	2. Encogimientos normales	2. Encogimientos normales
3. Press plano con mancuernas	3. Bíceps alterno con giro de mancuerna	3. Remo en máquina agarre estrecho
4. Elevaciones de pelvis para abdominal con piernas a 90º	4. Elevaciones de pelvis para abdominal con piernas a 90º	4. Elevaciones de pelvis para abdominal con piernas a 90º
5. Jalón al pecho agarre estrecho	5. Press francés para tríceps	5. Flexiones de brazos (con o sin rodillas apoyadas en el suelo)

Entrenamiento de press de banca, programa B

Ejercicio de abdominales normales

Vídeos recomendados

- **Press plano con mancuernas**: http://youtu.be/X11Z4ZIYSns

- **Press banca con barra**: https://www.youtube.com/watch?v=J_FNUFIDlH0

- **Jalón al pecho agarre estrecho**: http://youtu.be/2oySz9COBlY

- **Encogimientos normales**: http://youtu.be/8kAtiCfSPAM

- **Elevaciones laterales con mancuernas**: http://youtu.be/Xq4YLJw61Ak

- **Remo en máquina, agarre estrecho**: http://youtu.be/soClc8lC_fg

- **Curl con mancuernas, giro alterno**: http://youtu.be/Nq34NX-XbSE

- **Elevación de pelvis**: http://youtu.be/MtQQgPfX_LI

- **Flexiones normales**: http://youtu.be/o1uEOySgqel

- **Flexiones con rodillas apoyadas**: http://youtu.be/cay0sCjaY2s

- **Press francés con mancuernas**: http://youtu.be/DMKGl9wrDO8

3.3. Entrenamiento de salto horizontal a pies juntos

En este tipo de entrenamiento las consideraciones a tener en cuenta son:

- **Repeticiones**: 12 de cada uno de los ejercicios.
- **En circuito**: las vueltas dependerán del nivel obtenido en las pruebas. Ejemplo: 12 repeticiones del ejercicio 1, 12 del ejercicio 2... así hasta el último y se vuelve a empezar, haciendo el número de vueltas correspondiente al nivel obtenido en las pruebas.
- **Series**: dependerá del número de vueltas en que se realice el circuito.
- **Intensidad**: media, que no cueste llegar a la última repetición.
- **Recuperación**: entre ejercicios, es lo que lleve desplazarse de uno a otro. Entre vueltas, es de 1 minuto.
- **Velocidad**: moderada, ni rápida ni lenta.

Sentadilla a una pierna en banco

ENTRENAMIENTO 1	ENTRENAMIENTO 2	ENTRENAMIENTO 3
1. Encogimientos normales	1. Encogimientos normales	1. Encogimientos normales
2. Sentadilla a una pierna en banco o silla	2. Sentadilla a una pierna en banco o silla	2. Sentadilla a una pierna en banco o silla
3. Saltos de longitud a dos piernas entre obstáculos	3. Saltos de longitud a dos piernas entre obstáculos	3. Saltos de longitud a dos piernas entre obstáculos

Entrenamiento de salto horizontal, programa B

Vídeos recomendados

- **Encogimientos normales**: http://youtu.be/8kAtiCfSPAM 
- **Sentadilla a una pierna en banco o silla**: https://www.youtube.com/watch?v=xKCHAzzNj3s 
- **Saltos de longitud a dos piernas entre obstáculos**: https://www.youtube.com/watch?v=4b5cajXv1gM 

3.4. Entrenamiento de velocidad 100 metros

En este tipo de entrenamiento las consideraciones a tener en cuenta son:

- Intensidad:
  * **Baja**, que no cueste apenas esfuerzo. 60 % de la FCM.
  * **Media**, que permita hablar sin esfuerzo. 70 % de la FCM.
  * **Alta**, que se entrecorten las palabras a la hora de hablar. 80 % de la FCM.
  * **Muy alta**, que sea casi imposible hablar. 90 % de la FCM.

  Ejemplo: persona de 30 años. FCM = 220 - edad = 190 de pulsaciones máximas teóricas por minuto. El 70 % de 190 es 133 pulsaciones/minuto.

Las denominadas progresiones consisten en una carrera de distancia corta en la que la velocidad se va aumentando progresivamente desde el comienzo hasta el final de dicho espacio a recorrer. Es decir, se comienza corriendo a un ritmo bajo y se va aumentando hasta la intensidad solicitada.

A diferencia de la progresión, el sprint se realiza a gran velocidad ya desde el principio.

- Recuperación entre progresiones y ejercicios de técnica de carrera: el tiempo que cueste volver caminando al punto de partida.
- Estiramientos: al acabar se deben estirar las piernas manteniendo la posición sin hacer rebotes durante 30-40 segundos.

ENTRENAMIENTO	
Nivel muy bajo	10 minutos carrera, intensidad media Técnica de carrera: talones atrás. 2 series de 20 metros 4 progresiones de 60 metros acabando con una intensidad media 10 minutos carrera, intensidad media
Nivel bajo	10 minutos carrera, intensidad media Técnica de carrera: talones atrás. 4 series de 20 metros 5 progresiones de 60 metros acabando con una intensidad media 10 minutos carrera, intensidad media
Nivel medio	15 minutos carrera, intensidad media Técnica de carrera: talones atrás. 4 series de 25 metros 5 progresiones de 80 metros acabando con una intensidad media-alta 15 minutos carrera, intensidad media
Nivel alto	20 minutos carrera, intensidad media Técnica de carrera: talones atrás. 4 series de 30 metros 6 progresiones de 80 metros acabando con una intensidad alta 20 minutos caminando, intensidad media
Nivel muy alto	20 minutos carrera, intensidad media Técnica de carrera: rodillas arriba. 5 series de 30 metros 7 progresiones de 80 metros acabando con una intensidad alta 20 minutos caminando, intensidad media

Entrenamiento de carrera de 100 metros, programa B

Vídeos recomendados

- **Carrera talones atrás:** https://youtu.be/dTscAQ-ONW8

159.CARRERA - Talones atrás

- **Carrera salida sprint**: https://youtu.be/M3cjURMmnF4

161.CARRERA - Salida sprint

3.5. Entrenamiento de resistencia 2800 o 2650 metros

A tener en cuenta:

- **Intensidad:**
  * **Baja**, que no cueste apenas esfuerzo. 60 % de la FCM.
  * **Media**, que permita hablar sin esfuerzo. 70 % de la FCM.
  * **Alta**, que se entrecorten las palabras a la hora de hablar. 80 % de la FCM.

* **Muy alta**, que sea casi imposible hablar. 90 % de la FCM

Ejemplo: persona de 30 años. FCM = 220 - edad = 190 de pulsaciones máximas teóricas por minuto. El 70 % de 190 es 133 pulsaciones/minuto.

- **Estiramientos:** al acabar se deben estirar las piernas manteniendo la posición sin hacer rebotes durante 30-40 segundos.

	ENTRENAMIENTO 1	ENTRENAMIENTO 2	ENTRENAMIENTO 3
Nivel muy bajo	30 minutos carrera, intensidad media	30 min carrera continua, intensidad media	30 minutos carrera, intensidad media
Nivel bajo	35 min carrera continua, intensidad media	35 min carrera, intensidad media	35 min carrera continua, intensidad media
Nivel medio	40 min carrera continua, intensidad media	45 min carrera continua, intensidad media	40 min carrera continua, intensidad media
Nivel alto	50 min carrera continua, intensidad media	55 min carrera continua, intensidad media	50 min carrera continua, intensidad media
Nivel muy alto	55 min carrera continua, intensidad media	60 min carrera continua, intensidad media	55 min carrera continua, intensidad media

Entrenamiento de carrera de fondo, programa B

3.6. Entrenamiento de natación 100 metros

Observaciones en los entrenamientos de natación:

- Intensidad: media.
- Estilos: vienen determinados. Si pone "estilo libre", significa que es a libre elección (no tiene por qué ser crol).
- Distancia a realizar: viene determinada en metros, aunque solo ponga un dato numérico.
- Recuperación: se hace de forma vertical, dentro del agua pero con los pies apoyados.
- Estiramientos: al acabar se deben estirar los brazos y piernas manteniendo la posición sin hacer rebotes durante 30-40 segundos.

	ENTRENAMIENTO 1	ENTRENAMIENTO 2	ENTRENAMIENTO 3
Nivel muy bajo	150 metros braza 4 x 100 pies crol con tabla 1. Rec: 40 seg 2 x 100 crol. Rec: 25 seg 150 metros braza	150 metros estilo libre 4 x 100 rasca pulgar. Rec: 40 segundos 2 x 100 crol. Rec: 25 seg 150 metros estilo libre	150 metros braza 4 x 100 pies crol con tabla 1. Rec: 40 seg 2 x 100 crol. Rec: 25 seg 150 metros braza
Nivel bajo	200 metros estilo libre 10 x 25 pies crol con tabla 1. Rec: 20 seg 3 x 150 crol. Rec: 30 seg 200 metros estilo libre	200 metros estilo libre 10 x 25 rasca pulgar. Rec: 20 segundos 3 x 150 crol. Rec: 30 seg 200 metros estilo libre	200 metros estilo libre 10 x 25 pies crol con tabla 1. Rec: 40 seg 3 x 150 crol. Rec: 30 seg 200 metros estilo libre
Nivel medio	200 metros estilo libre 6 x 50 pies crol con tabla 1. Rec: 30 seg 4 x 50 espalda. Rec: 30 segundos 6 x 50 crol ritmo alto. Rec: 30 segundos 200 metros estilo libre	200 metros estilo libre 6 x 50 rasca pulgar. Rec: 30 segundos 4 x 50 braza. Rec: 20 segundos 6 x 50 crol ritmo alto. Rec: 30 segundos 200 metros estilo libre	200 metros estilo libre 6 x 50 pies crol con tabla 1. Rec: 30 seg 4 x 50 espalda. Rec: 30 segundos 6 x 50 crol ritmo alto. Rec: 30 segundos 200 metros estilo libre
Nivel alto	300 metros estilo libre 4 x 10 pi es crol con tabla 1. Rec: 25 seg 4 x 50 espalda. Rec: 25 segundos 8 x 50 crol ritmo alto. Rec: 30 segundos 300 metros estilo libre	300 metros estilo libre 4 x 150 rasca pulgar. Rec: 25 segundos 4 x 50 braza. Rec: 20 segundos 10 x 25 crol ritmo alto. Rec: 15 seg 300 metros estilo libre	300 metros estilo libre 4 x 100 pies crol con tabla 1. Rec: 25 seg 4 x 50 espalda. Rec: 25 segundos 8 x 50 crol ritmo alto. Rec: 30 segundos 300 metros estilo libre
Nivel muy alto	400 metros estilo libre 4 x 100 pies crol con tabla 1. Rec: 25 seg 4 x 50 espalda. Rec: 25 segundos 10 x 50 crol ritmo alto. Rec: 30 segundos 400 metros estilo libre	400 metros estilo libre 4 x 100 rasca pulgar. Rec: 25 segundos 4 x 50 braza. Rec: 20 segundos 14 x 25 crol ritmo alto. Rec: 15 seg 400 metros estilo libre	400 metros estilo libre 4 x 100 pies crol con tabla 1. Rec: 25 seg 4 x 50 espalda. Rec: 25 segundos 10 x 50 crol ritmo alto. Rec: 30 segundos 400 metros estilo libre

Entrenamiento de natación 100 metros, programa B

Vídeos recomendados

- **Estilo braza**:
  https://youtu.be/_hE-_IsEx-o

- **Estilo crol**:
  https://youtu.be/A1D-_iZS6Is

- **Estilo crol pies tabla 1**:
  https://youtu.be/OaOVm--6Wws

- **Estilo espalda**:
  https://youtu.be/Itt23Cr2X94

- **Estilo crol rasca pulgar**:
  https://youtu.be/7LG5Mg-EYCs

Respiración frontal

IMPORTANTE: se debe realizar el test de todas las pruebas físicas antes de comenzar el siguiente programa. Puede que el nivel del opositor haya cambiado.

CAPÍTULO 19

Periodo preparatorio específico: programa C

Índice

1. Introducción

Se debe realizar durante el tiempo indicado en el Capítulo 17.

2. Entrenamiento de dominadas dominadas y trepa de cuerda

En este tipo de entrenamiento las consideraciones a tener en cuenta son:

- **Repeticiones**: 15 de cada uno de los ejercicios. Para el entrenamiento de la prueba de barra, se puede utilizar una máquina de dominadas asistidas o una goma de ayuda para lograr llegar a dichas repeticiones. Las dominadas se deben hacer con lastre en caso de que 12 repeticiones sean fáciles. En la trepa de cuerda con presa de pies se debe subir los máximos metros posibles, teniendo en cuenta que se deben dejar fuerzas para retener la bajada.
- **En circuito**: las vueltas dependerán del nivel obtenido en las pruebas. Ejemplo: 15 repeticiones del ejercicio 1, 15 del ejercicio 2 y 15 del ejercicio 3. Luego se pasa al siguiente grupo de ejercicios 1, 2 y 3. Hay que hacer el número de vueltas correspondiente al nivel obtenido en las pruebas.
- **Series**: dependerá del número de vueltas realizadas del circuito.
- **Intensidad**: media-alta, que cueste algo llegar a la última repetición.
- **Recuperación**: entre ejercicios es lo que lleve desplazarse de uno a otro. Entre vueltas es de 45 segundos.
- **Velocidad**: moderada, ni rápida ni lenta.

ENTRENAMIENTO 1	ENTRENAMIENTO 2	ENTRENAMIENTO 3
1. Dominadas	1. Trepa de cuerda con presa de pies	1. Jalón al pecho, agarre estrecho
2. Encogimientos abdominales mano a mismo pie	2. Encogimientos abdominales mano a mismo pie	2. Encogimientos abdominales mano a mismo pie
3. Elevación de pecho para lumbares	3. Encogimientos de trapecio con mancuernas	3. Elevación de pecho para lumbares
1. Elevaciones de pelvis para abdominal con piernas estiradas	1. Curl con barra en polea baja	1. Elevaciones de pelvis para abdominal con piernas estiradas
2. Trepa de cuerda con una pierna apoyada y haciendo patada con la otra	2. Elevaciones de pelvis para abdominal con piernas estiradas	2. Trepa de cuerda con una pierna apoyada y haciendo patada con la otra
3. Elevación de pelvis para lumbares	3. Elevación de pelvis para abdominales	3. Elevación de pelvis para lumbares

Entrenamiento de dominadas y trepa de cuerda, programa C

Trepa de cuerda con presa de pies

Vídeos recomendados

- **Dominadas:**
  http://youtu.be/POiA-X_sSNI

- **Encogimientos mano a mismo pie**:
  http://youtu.be/9PWHPGqglcE

- **Elevación de pecho**:
  http://youtu.be/KWXaPkBdGXc

- **Jalón al pecho agarre estrecho**:
  http://youtu.be/2oySz9COBIY

- **Jalón al pecho agarre inverso**:
  http://youtu.be/-HeRottnWYI

- **Encogimientos con mancuerna**:
  http://youtu.be/u3N8CNlkezk

- **Elevación de pelvis para abdominales**:
  http://youtu.be/MtQQgPfX_LI

- **Trepa de cuerda con una pierna apoyada y haciendo patada con la otra**: https://www.youtube.com/watch?v=S7cqWKDuXdM 

- **Trepa de cuerda con presa de pies:** https://www.youtube.com/watch?v=D7FHdAgh7nQ 

- **Curl con barra en polea baja**: http://youtu.be/PSrsVuKcxCM 

- **Elevación de pelvis para lumbar y glúteo**: http://youtu.be/oy06osLVils 

Trepa de cuerda con una pierna apoyada y haciendo patada con la otra

3. Entrenamiento de press de banca

En este tipo de entrenamiento las consideraciones a tener en cuenta son:

- **Repeticiones**: 15 de cada uno de los ejercicios.
- **En circuito**: las vueltas dependerán del nivel obtenido en las pruebas. Ejemplo: 15 repeticiones del ejercicio 1, 15 del ejercicio 2 y 15 del ejercicio 3. Luego se pasa al siguiente grupo de ejercicios 1, 2 y 3. Hay que hacer el número de vueltas correspondiente al nivel obtenido en las pruebas.
- **Series**: dependerá del número de vueltas realizadas del circuito.
- **Intensidad**: media-alta, que cueste algo llegar a la última repetición.
- **Recuperación**: entre ejercicios es lo que lleva desplazarse de uno a otro. Entre vueltas es de 45 segundos.
- **Velocidad**: moderada, ni rápida ni lenta.

ENTRENAMIENTO 1	ENTRENAMIENTO 2	ENTRENAMIENTO 3
1. Press de banca con barra	1. Jalón al pecho, agarre inverso	1. Press inclinado con mancuernas
2. Encogimientos abdominales mano a mismo pie	2. Encogimientos abdominales mano a mismo pie	2. Encogimientos abdominales mano a mismo pie
3. Press plano con mancuernas	3. Encogimientos de trapecio con mancuernas	3. Press de banca con 30 kg. Repeticiones al máximo
1. Elevaciones de pelvis para abdominal con piernas estiradas	1. Fondos de tríceps en banco/s	1. Elevaciones de pelvis para abdominal con piernas estiradas
2. Bíceps con barra en polea baja	2. Elevaciones de pelvis para abdominal con piernas estiradas	2. Bíceps con barra en polea baja
3. Elevación de pelvis para lumbares	3. Elevación de pelvis para lumbares	3. Elevación de pelvis para lumbares

Entrenamiento de press de banca, programa C

Vídeos recomendados

- **Press de banca**: https://www.youtube.com/watch?v=J_FNUFIDIHO 
- **Encogimientos mano a mismo pie**: http://youtu.be/9PWHPGqglcE 
- **Press plano con mancuernas**: http://youtu.be/X11Z4ZIYSns 
- **Press inclinado con mancuernas**: http://youtu.be/hniVrHuGvhA 
- **Jalón al pecho agarre estrecho**: http://youtu.be/2oySz9COBIY 
- **Jalón al pecho agarre inverso**: http://youtu.be/2oySz9COBIY 
- **Encogimientos con mancuerna**: http://youtu.be/u3N8CNlkezk 
- **Fondos en banco o silla**: http://youtu.be/aX093Pr3TLY 
- **Elevación de pelvis para abdominales**: http://youtu.be/MtQQgPfX_LI 
- **Curl con barra en polea baja**: http://youtu.be/PSrsVuKcxCM 
- **Elevación de pelvis para lumbar y glúteo**: http://youtu.be/oy06osLVils 

Press de banca con gran carga de peso

4. Entrenamiento de salto horizontal a pies juntos

En este tipo de entrenamiento las consideraciones a tener en cuenta son:

- **Repeticiones**: 15 de cada uno de los ejercicios.
- **En circuito**: las vueltas dependerán del nivel obtenido en las pruebas. Ejemplo: 15 repeticiones del ejercicio 1, 15 del ejercicio 2... así hasta el último y se vuelve a empezar, haciendo el número de vueltas correspondiente al nivel obtenido en las pruebas.
- **Series**: dependerá del número de vueltas en que se realice el circuito.

Zancada estática

- **Intensidad**: media, que no cueste llegar a la última repetición.
- **Recuperación**: entre ejercicios, es lo que lleva desplazarse de uno a otro. Entre vueltas, es de 1 minuto.
- **Velocidad**: moderada, ni rápida ni lenta.

ENTRENAMIENTO 1	ENTRENAMIENTO 2	ENTRENAMIENTO 3
1. Giro a codo a rodilla contraria	1. Giro a codo a rodilla contraria	1. Giro a codo a rodilla contraria
2. Zancada estática	2. Zancada estática	2. Zancada estática
3. Saltos de longitud a dos piernas	3. Saltos de longitud a dos piernas	3. Saltos de longitud a dos piernas
4. Sentadilla en máquina	4. Sentadilla en máquina	4. Sentadilla en máquina

Entrenamiento de salto horizontal, programa C

Vídeos recomendados

- **Giro a codo a rodilla contraria**: http://youtu.be/yGxD-bSB3nU 
- **Zancada estática**: https://www.youtube.com/watch?v=WowXT7j2Dyo 
- **Saltos de longitud a dos piernas**: https://www.youtube.com/watch?v=F2ZI3CuqRto 
- **Sentadilla en máquina:**: http://youtu.be/k8GXXUWjXDg 

Sentadilla en máquina

5. Entrenamiento de velocidad 100 metros

En este tipo de entrenamiento las consideraciones a tener en cuenta son:

- Intensidad:
  * **Baja**, que no cueste apenas esfuerzo. 60 % de la FCM.
  * **Media**, que permita hablar sin esfuerzo. 70 % de la FCM.

* **Alta**, que se entrecorten las palabras a la hora de hablar. 80 % de la FCM.
* **Muy alta**, que sea casi imposible hablar. 90 % de la FCM.

Ejemplo: persona de 30 años. FCM = 220 - edad = 190 de pulsaciones máximas teóricas por minuto. El 70 % de 190 es 133 pulsaciones/minuto.

Las denominadas progresiones consisten en una carrera de distancia corta en la que la velocidad se va aumentando progresivamente desde el comienzo hasta el final de dicho espacio a recorrer. Es decir, se comienza corriendo a un ritmo bajo y se va aumentando hasta la intensidad solicitada.

A diferencia de la progresión, el sprint se realiza a gran velocidad ya desde el principio.

- Recuperación entre progresiones y ejercicios de técnica de carrera: el tiempo que cueste volver caminando al punto de partida.
- Recuperación entre sprints: 1 minuto 30 segundos.
- Estiramientos: al acabar se deben estirar las piernas manteniendo la posición sin hacer rebotes durante 30-40 segundos.

ENTRENAMIENTO	
Nivel muy bajo	15 minutos carrera, intensidad media Técnica de carrera: rodillas arriba. 3 series de 25 metros 3 progresiones de 60 metros acabando con una intensidad media 15 minutos carrera, intensidad media
Nivel bajo	15 minutos carrera, intensidad media Técnica de carrera: rodillas arriba. 3 series de 25 metros 4 progresiones de 60 metros acabando con una intensidad media 15 minutos carrera, intensidad media
Nivel medio	20 minutos carrera, intensidad media Técnica de carrera: rodillas arriba. 4 series de 25 metros 5 progresiones de 60 metros acabando con una intensidad media 20 minutos carrera, intensidad media
Nivel alto	25 minutos carrera, intensidad media Técnica de carrera: rodillas arriba. 4 series de 30 metros 3 sprints de 60 metros con una intensidad alta 25 minutos carrera, intensidad media
Nivel muy alto	25 minutos carrera, intensidad media Técnica de carrera: rodillas arriba. 4 series de 30 metros 3 sprints de 80 metros con una intensidad alta 25 minutos carrera, intensidad media

Entrenamiento de carrera de 100 metros, programa C

Vídeos recomendados

- **Carrera rodillas arriba**: https://youtu.be/UFaOSRA7Rsg

- **Carrera salida sprint**: https://youtu.be/M3cjURMmnF4

Ejercicio de rodillas arriba

6. Entrenamiento de resistencia 2800 o 2650 metros

Tener en cuenta:

- **Intensidad**:
  - * **Baja**, que no cueste apenas esfuerzo. 60 % de la FCM.
  - * **Media**, que permita hablar sin esfuerzo. 70 % de la FCM.
  - * **Alta**, que se entrecorten las palabras a la hora de hablar. 80 % de la FCM.
  - * **Muy alta**, que sea casi imposible hablar. 90 % de la FCM.

  Ejemplo: persona de 30 años. FCM = 220 - edad = 190 de pulsaciones máximas teóricas por minuto. El 70 % de 190 es 133 pulsaciones/minuto.
- **Estiramientos**: al acabar se debe estirar las piernas manteniendo la posición sin hacer rebotes durante 30-40 segundos.

	ENTRENAMIENTO 1	ENTRENAMIENTO 2	ENTRENAMIENTO 3
Nivel muy bajo	30 min carrera continua, intensidad media	30 min carrera continua, intensidad media	30 min carrera continua, intensidad media
Nivel bajo	35 min carrera continua, intensidad media	40 min progresivos: 10 medio, 10 alto, 10 medio	35 min carrera continua, intensidad media
Nivel medio	10 min medio 25 min cambios ritmo: 1 medio-1 alto 10 min medio para relajar	45 min progresivos: 10 medio, 25 alto, 10 medio	50 min carrera continua, intensidad media
Nivel alto	15 min medio 30 min cambios ritmo: 2 medio-1 alto 15 min medio para relajar	50 min progresivos: 10 medio, 20 alto, 10 muy alto, 10 medio	55 min carrera continua, intensidad alta 4 progresiones de 50 m acabando a ritmo alto
Nivel muy alto	5 min medio 35 min cambios ritmo: 1 medio-1 alto 15 min medio para relajar	55 min progresivos: 10 medio, 25 alto, 10 muy alto, 10 medio	60 min carrera continua, intensidad alta 4 progresiones de 50 m acabando a ritmo alto

Entrenamiento de carrera de fondo, programa C

7. Entrenamiento de natación 50 metros

Ejercicio de pies de crol

Observaciones en los entrenamientos de natación:

- Intensidad: media.
- Estilos: vienen determinados. Si pone "estilo libre", significa que es a libre elección (no tiene por qué ser crol).
- Distancia a realizar: viene determinada en metros, aunque solo ponga un dato numérico.
- Recuperación: se hace de forma vertical, dentro del agua pero con los pies apoyados.
- Estiramientos: al acabar se deben estirar los brazos y piernas manteniendo la posición sin hacer rebotes durante 30-40 segundos.

	ENTRENAMIENTO 1	ENTRENAMIENTO 2	ENTRENAMIENTO 3
Nivel muy bajo	150 metros braza 8 x 25 pies crol con tabla 2. Rec: 40 seg 4 x 50 m crol ritmo alto. Rec: 35 seg 4 x 25 m crol ritmo alto. Rec: 25 seg 150 metros braza	150 metros estilo libre 8 x 25 rasca pulgar. Rec: 40 segundos 4 x 50 m crol ritmo alto. Rec: 35 seg 4 x 25 m crol ritmo alto. Rec: 25 seg 150 metros estilo libre	150 metros braza 8 x 25 pies crol con tabla 2. Rec: 40 seg 4 x 50 m crol ritmo alto. Rec: 35 seg 4 x 25 m crol ritmo alto. Rec: 25 seg 150 metros braza
Nivel bajo	200 metros estilo libre 8 x 25 crol. Rec: 25 seg 6 x 25 pies crol con tabla 2. Rec: 40 seg 2 x 100 crol. Rec: 30 seg 200 metros estilo libre	200 metros estilo libre 6 x 25 rasca pulgar. Rec: 40 segundos 2 x 100 crol. Rec: 30 seg 200 metros estilo libre	200 metros estilo libre 8 x 25 crol. Rec: 25 seg 6 x 25 pies crol con tabla 2. Rec: 40 seg 2 x 100 crol. Rec: 30 seg 200 metros estilo libre
Nivel medio	300 metros estilo libre 6 x 25 crol. Rec: 20 seg 6 x 50 pies crol con tabla 2. Rec: 30 seg 4 x 50 espalda. Rec: 30 segundos 300 metros estilo libre	300 metros estilo libre 6 x 50 rasca pulgar. Rec: 30 segundos 4 x 50 espalda doble, patada simultánea. Rec: 20 segundos 300 metros estilo libre	300 metros estilo libre 6 x 25 crol. Rec: 20 seg 6 x 50 pies crol con tabla 2. Rec: 30 seg 4 x 50 espalda. Rec: 30 segundos 300 metros estilo libre
Nivel alto	400 metros estilo libre 8 x 50 crol. Rec: 15 seg 4 x 50 pies crol con tabla 2. Rec: 25 seg 4 x 50 espalda. Rec: 25 segundos 4 x 50 crol ritmo alto. Rec: 30 segundos 400 metros estilo libre	400 metros estilo libre 4 x 100 rasca pulgar. Rec: 25 segundos 4 x 50 espalda doble patada simultánea. Rec: 20 segundos 400 metros estilo libre	400 metros estilo libre 8 x 50 crol. Rec: 15 seg 4 x 50 pies crol con tabla 2. Rec: 25 seg 4 x 50 espalda. Rec: 25 segundos 4 x 50 crol ritmo alto. Rec: 30 segundos 400 metros estilo libre
Nivel muy alto	300 metros estilo libre 4 x 100 pies crol con tabla 2. Rec: 25 seg 4 x 50 espalda. Rec: 25 segundos 4 x 50 crol ritmo alto. Rec: 30 segundos 10 x 25 crol palas. Rec: 30 seg 400 metros estilo libre	400 metros estilo libre 6 x 100 rasca pulgar. Rec: 25 segundos 4 x 50 espalda doble patada simultánea. Rec: 20 segundos 10 x 25 crol palas. Rec: 30 seg 400 metros estilo libre	400 metros estilo libre 4 x 100 pies crol con tabla 2. Rec: 25 seg 4 x 50 espalda. Rec: 25 segundos 4 x 50 crol ritmo alto. Rec: 30 segundos 10 x 25 crol palas. Rec: 30 seg 400 metros estilo libre

Entrenamiento de natación 50 metros, programa C

Vídeos recomendados

- **Estilo braza**:
  https://youtu.be/_hE-_IsEx-o

- **Estilo crol**:
  https://youtu.be/A1D-_iZS6Is

- **Estilo crol pies tabla 2**:
  https://youtu.be/zpzC-tPn2yM

155.NATACIÓN - Estilo Crol (pies con tabla 2)

- **Estilo espalda**:
  https://youtu.be/Itt23Cr2X94

- **Estilo crol rasca pulgar**:
  https://youtu.be/7LG5Mg-EYCs

- **Estilo espalda doble simultánea**:
  https://youtu.be/u38cHW19LOI

- **Estilo crol con palas**:
  https://youtu.be/aqreG3HnSjA

IMPORTANTE: se debe realizar el test de todas las pruebas físicas antes de comenzar el siguiente programa. Puede que el nivel del opositor haya cambiado.

CAPÍTULO 20

Periodo competitivo general: programa D

Índice

1. Introducción
2. Entrenamiento de dominadas y trepa de cuerda
3. Entrenamiento de press de banca
4. Entrenamiento de salto horizontal a pies juntos
5. Entrenamiento de carrera de velocidad 100 metros
6. Entrenamiento de carrera de resistencia 2800 o 2650 metros
7. Entrenamiento de natación 50 metros

1. Introducción

Se debe realizar durante el tiempo indicado en el "Capítulo 17".

2. Entrenamiento de dominadas y trepa de cuerda

En este entrenamiento, las consideraciones a tener en cuenta son:

- **Repeticiones**: 8 de cada uno de los ejercicios, excepto en abdominales y lumbares que hay que hacer 15. Las dominadas se deben hacer con lastre en caso de que 8 repeticiones sean fáciles. En la trepa de cuerda sin presa de pies se debe subir los máximos metros posibles, teniendo en cuenta que se deben dejar fuerzas para retener la bajada. En el caso de la trepa de cuerda isométrica, cada serie consiste en 4 subidas, aguantando unos 4-5 segundos en cada una.
- **En circuito**: las vueltas dependerán del nivel obtenido en las pruebas. Ejemplo: 8 repeticiones del ejercicio 1, 8 del ejercicio 2 y 8 del ejercicio 3. Luego se pasa al siguiente grupo de ejercicios 1 y 2. Hay que hacer el número de vueltas correspondiente al nivel obtenido en las pruebas.
- **Series**: dependerá del número de vueltas realizadas del circuito.
- **Intensidad**: alta, que cueste mucho llegar a la última repetición.
- **Recuperación**: entre ejercicios es lo que lleve desplazarse de uno a otro. Entre vueltas es de 1 min 15 segundos.
- **Velocidad**: lenta.

ENTRENAMIENTO 1	ENTRENAMIENTO 2	ENTRENAMIENTO 3
1. Dominadas	1. Trepa de cuerda isométrica. Cada serie con 4 subidas aguantando unos segundos	1. Dominadas
2. Encogimientos abdominales giro codo a rodilla contraria	2. Encogimientos abdominales giro codo a rodilla contraria	2. Encogimientos abdominales giro codo a rodilla contraria
3. Lumbares en banco	3. Lumbares en banco	3. Lumbares en banco
1. Trepa de cuerda sin presa de pies	1. Flexiones con manos en hombros y codos pegados al cuerpo	1. Trepa de cuerda sin presa de pies
2. Fondos de tríceps entre bancos	2. Bíceps con barra recta, agarre normal	2. Fondos de tríceps entre bancos

Entrenamiento de dominadas y trepa de cuerda, programa D

Lumbares en banco

Vídeos recomendados

- **Dominadas**:
  http://youtu.be/POiA-X_sSNI

- **Trepa de cuerda sin presa de pies**:
  https://www.youtube.com/watch?v=dyLQzFp2MNs

- **Trepa de cuerda isométrica**:
  https://www.youtube.com/watch?v=Jjei43PrXCE

- **Flexiones con rodillas apoyadas**:
  http://youtu.be/cay0sCjaY2s

- **Abdominales de giro a codo a rodilla contraria**:
  http://youtu.be/yGxD-bSB3nU

- **Elevación de tronco en banco**:
  http://youtu.be/9HDCJEWka0Y

- **Jalón al pecho agarre estrecho**:
  http://youtu.be/2oySz9COBIY

- **Flexiones con manos en hombros y codos pegados al cuerpo**:
  http://youtu.be/kD-0WZUrKa4

- **Press plano con barra**:
  http://youtu.be/SdiqU6xjw2s

- **Curl con barra recta, agarre inverso**:
  http://youtu.be/B0JjZAZ7Brw

- **Fondos entre bancos o sillas**:
  http://youtu.be/emsqdl21gJM

Trepa de cuerda isométrica

3. Entrenamiento de press de banca

En este entrenamiento, las consideraciones a tener en cuenta son:

- **Repeticiones**: 20 de cada uno de los ejercicios.
- **En circuito**: las vueltas dependerán del nivel obtenido en las pruebas. Ejemplo: 20 repeticiones del ejercicio 1, 20 del ejercicio 2 y 20 del ejercicio

3. Luego se pasa al siguiente grupo de ejercicios 1 y 2. Hay que hacer el número de vueltas correspondiente al nivel obtenido en las pruebas.

- **Series**: dependerá del número de vueltas realizadas del circuito.
- **Intensidad**: alta, que cueste mucho llegar a la última repetición.
- **Recuperación**: entre ejercicios es lo que lleve desplazarse de uno a otro. Entre vueltas es de 1 min 15 segundos.
- **Velocidad**: rápida

Press banca con barra con poco peso para realizar altas repeticiones

ENTRENAMIENTO 1	ENTRENAMIENTO 2	ENTRENAMIENTO 3
1. Press banca plano con barra	1. Jalón al pecho, agarre normal	1. Flexiones con manos en banco
2. Encogimientos abdominales giro codo a rodilla contraria	2. Encogimientos abdominales giro codo a rodilla contraria	2. Encogimientos abdominales giro codo a rodilla contraria
3. Lumbares en banco	3. Lumbares en banco	3. Lumbares en banco
1. Flexiones con manos en banco	1. Flexiones con manos en hombros y codos pegados al cuerpo	1. Press plano con mancuernas
2. Fondos de tríceps entre bancos	2. Bíceps con barra recta, agarre normal	2. Fondos de tríceps entre bancos

Entrenamiento de press de banca, programa D

Vídeos recomendados

- **Press de banca:**
  https://www.youtube.com/watch?v=J_FNUFIDlH0

- **Flexiones con manos en banco**:
  http://youtu.be/_QekEjU9fQc

- **Flexiones con rodillas apoyadas**:
  http://youtu.be/cay0sCjaY2s

- **Flexiones con manos apoyadas en pared**:
  http://youtu.be/yEshJMmWsil

- **Abdominales de giro a codo a rodilla contraria**:
  http://youtu.be/yGxD-bSB3nU

- **Elevación de tronco en banco**:
  http://youtu.be/9HDCJEWka0Y

- **Press plano con mancuernas**:
  http://youtu.be/X11Z4ZIYSns

- **Jalón al pecho agarre estrecho**:
  http://youtu.be/2oySz9COBIY

- **Flexiones con manos en hombros y codos pegados al cuerpo**:
  http://youtu.be/kD-0WZUrKa4

- **Press plano con barra**:
  http://youtu.be/SdiqU6xjw2s

- **Curl con barra recta, agarre inverso**:
  http://youtu.be/B0JjZAZ7Brw

- **Fondos entre bancos o sillas**:
  http://youtu.be/emsqdl21gJM

4. Entrenamiento de salto horizontal a pies juntos

En este tipo de entrenamiento las consideraciones a tener en cuenta son:

- **Repeticiones**: 20 de cada uno de los ejercicios.

- **En circuito**: las vueltas dependerán del nivel obtenido en las pruebas. Ejemplo: 20 repeticiones del ejercicio 1, 20 del ejercicio 2... así hasta el último y se vuelve a empezar, haciendo el número de vueltas correspondiente al nivel obtenido en las pruebas.
- **Series**: dependerá del número de vueltas en que se realice el circuito.
- **Intensidad**: media, que no cueste llegar a la última repetición.
- **Recuperación**: entre ejercicios, es lo que lleve desplazarse de uno a otro. Entre vueltas, es de 1 minuto 15 segundos.
- **Velocidad**: moderada, ni rápida ni lenta.

Sentadillas con mancuernas

ENTRENAMIENTO 1	ENTRENAMIENTO 2	ENTRENAMIENTO 3
1. Abdominales completos en espaldera	1. Abdominales completos en espaldera	1. Abdominales completos en espaldera
2. Sentadilla con mancuernas	2. Sentadilla con mancuernas	2. Sentadilla con mancuernas
3. Saltos de longitud a dos piernas entre obstáculos	3. Saltos de longitud a dos piernas entre obstáculos	3. Saltos de longitud a dos piernas entre obstáculos

Entrenamiento de salto horizontal, programa D

Vídeos recomendados

- **Abdominales completos en espaldera**:
https://www.youtube.com/watch?v=Jk8UrRunY7c

- **Sentadilla con mancuernas**:
http://youtu.be/4nsTsf_0IEs

- **Saltos de longitud a dos piernas entre obstáculos**:
https://www.youtube.com/watch?v=4b5cajXv1gM

5. Entrenamiento de velocidad 100 metros

En este tipo de entrenamiento las consideraciones a tener en cuenta son:

- Intensidad:
  - **Baja**, que no cueste apenas esfuerzo. 60 % de la FCM.
  - **Media**, que permita hablar sin esfuerzo. 70 % de la FCM.
  - **Alta**, que se entrecorten las palabras a la hora de hablar. 80 % de la FCM.
  - **Muy alta**, que sea casi imposible hablar. 90 % de la FCM.

  Ejemplo: persona de 30 años. FCM = 220 - edad = 190 de pulsaciones máximas teóricas por minuto. El 70 % de 190 es 133 pulsaciones/minuto.

  Las denominadas progresiones consisten en una carrera de distancia corta en la que la velocidad se va aumentando progresivamente desde el comienzo hasta el final de dicho espacio a recorrer. Es decir, se comienza corriendo a un ritmo bajo y se va aumentando hasta la intensidad solicitada.

  A diferencia de la progresión, el sprint se realiza a gran velocidad ya desde el principio.
- Recuperación entre progresiones y ejercicios de técnica de carrera: el tiempo que cueste volver caminando al punto de partida.
- Recuperación entre sprints: 2 minutos.
- Estiramientos: al acabar se deben estirar las piernas manteniendo la posición sin hacer rebotes durante 30-40 segundos.

ENTRENAMIENTO	
Nivel muy bajo	10 minutos carrera, intensidad media Técnica de carrera: talones atrás. 3 series de 25 metros 6 sprints de 60 metros acabando con una intensidad media 10 minutos carrera, intensidad media
Nivel bajo	15 minutos carrera, intensidad media Técnica de carrera: talones atrás. 3 series de 25 metros 6 sprints de 60 metros acabando con una intensidad media 15 minutos carrera, intensidad media
Nivel medio	15 minutos carrera, intensidad media Técnica de carrera: talones atrás. 4 series de 25 metros 7 sprints de 60 metros con una intensidad media 15 minutos carrera, intensidad media
Nivel alto	20 minutos carrera, intensidad media Técnica de carrera: talones atrás. 5 series de 30 metros 8 sprints de 80 metros con una intensidad alta 20 minutos carrera, intensidad media
Nivel muy alto	20 minutos carrera, intensidad media Técnica de carrera: talones atrás. 5 series de 30 metros 8 sprints de 80 metros con una intensidad alta 20 minutos carrera, intensidad media

Entrenamiento de carrera de 100 metros, programa D

Vídeos recomendados

- **Carrera talones atrás**:
  https://youtu.be/dTscAQ-ONW8

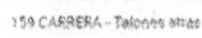

- **Carrera salida sprint**:
  https://youtu.be/M3cjURMmnF4

161 CARRERA - Salida sprint

6. Entrenamiento de resistencia 2800 o 2650 metros

Las consideraciones a tener en cuenta son:

- **Intensidad**:
  * Baja, que no cueste apenas esfuerzo. 60 % de la FCM.
  * Media, que permita hablar sin esfuerzo. 70 % de la FCM.
  * Alta, que se entrecorten las palabras a la hora de hablar. 80 % de la FCM.
  * Muy alta, que sea casi imposible hablar. 90 % de la FCM.

  Ejemplo: persona de 30 años. FCM = 220 - edad = 190 de pulsaciones máximas teóricas por minuto. El 70 % de 190 es 133 pulsaciones/minuto.
- **Estiramientos**: al acabar, se deben estirar las piernas manteniendo la posición sin hacer rebotes durante 30-40 segundos.

	ENTRENAMIENTO 1	ENTRENAMIENTO 2	ENTRENAMIENTO 3
Nivel muy bajo	35 min carrera continua, intensidad alta	35 min carrera continua, intensidad alta	35 min carrera continua, intensidad alta
Nivel bajo	10 min medio 30 min cambios ritmo: 1 medio-1 alto 10 min medio	35 min progresivos: 10 medio, 15 alto, 5 muy alto, 5 medio	45 min carrera continua, intensidad alta
Nivel medio	10 min medio 5 x 600 metros muy alto. Descanso: con 3 min entre series 10 min medio	10 min medio 30 min cambios ritmo: 1 medio-1 alto 10 min medio	50 min progresivos: 10 medio, 20 alto, 15 muy alto, 5 medio 6 progresiones de 50 m acabando a ritmo alto
Nivel alto	10 min medio 6 x 600 metros muy alto. Descanso: con 3 min entre series 10 min medio	10 min medio 30 min cambios ritmo: 1 medio-1 muy alto 5 min medio	55 min progresivos: 15 medio, 20 alto, 15 muy alto, 5 medio 4 progresiones de 50 m acabando a ritmo alto
Nivel muy alto	10 min medio 6 x 600 metros muy alto. Descanso: con 3 min entre series 10 min medio	5 min medio 30 min cambios ritmo: 1 medio- 1muy alto 5 min medio	55 min progresivos: 15 medio, 15 alto, 20 muy alto, 5 medio 4 progresiones de 50 m acabando a ritmo alto

Entrenamiento de carrera de fondo, programa D

Progresión en pista de atletismo

7. Entrenamiento de natación 50 metros

Observaciones en los entrenamientos de natación:

- Intensidad: media.
- Estilos: vienen determinados. Si pone "estilo libre", significa que es a libre elección (no tiene por qué ser crol).
- Distancia a realizar: viene determinada en metros, aunque solo ponga un dato numérico.
- Recuperación: se hace de forma vertical, dentro del agua pero con los pies apoyados.
- Estiramientos: al acabar se deben estirar los brazos y piernas manteniendo la posición sin hacer rebotes durante 30-40 segundos.

	ENTRENAMIENTO 1	ENTRENAMIENTO 2	ENTRENAMIENTO 3
Nivel muy bajo	150 metros braza 6 x 25 crol. Rec: 30 seg 4 x 100 crol punto muerto con tabla. Rec: 40 seg 150 metros braza	150 metros estilo libre 6 x 25 crol con aletas. Rec: 30 seg 4 x 100 rasca pulgar. Rec: 40 segundos 150 metros estilo libre	150 metros braza 6 x 25 crol. Rec: 30 seg 4 x 100 crol punto muerto con tabla. Rec: 40 seg 150 metros braza
Nivel bajo	200 metros estilo libre 8 x 25 crol con palas. Rec: 25 seg 6 x 75 crol punto muerto con tabla. Rec: 40 seg 200 metros estilo libre	200 metros estilo libre 6 x 75 rasca pulgar. Rec: 40 segundos 6 x 50 crol con aletas. Rec: 25 seg 200 metros estilo libre	200 metros estilo libre 8 x 25 crol con palas. Rec: 25 seg 6 x 75 crol punto muerto con tabla. Rec: 40 seg 200 metros estilo libre
Nivel medio	300 metros estilo libre 10 x 25 crol con palas. Rec: 20 seg 6 x 50 crol punto muerto con tabla. Rec: 30 seg 4 x 50 espalda. Rec: 30 segundos 5 x 50 crol ritmo alto. Rec: 40 seg 300 metros estilo libre	300 metros estilo libre 8 x 50 rasca pulgar. Rec: 30 segundos 8 x 50 crol con aletas. Rec: 25 seg 4 x 50 espalda doble, patada de braza. Rec: 20 segundos 5 x 50 crol ritmo alto. Rec: 40 seg 300 metros estilo libre	300 metros estilo libre 10 x 25 crol con palas. Rec: 20 seg 6 x 50 crol punto muerto con tabla. Rec: 30 seg 4 x 50 espalda. Rec: 30 segundos 5 x 50 crol ritmo alto. Rec: 40 seg 300 metros estilo libre
Nivel alto	400 metros estilo libre 4 x 75 crol. Rec: 15 seg 4 x 50 crol punto muerto con tabla. Rec: 25 seg 4 x 50 espalda. Rec: 25 segundos 6 x 50 crol ritmo alto. Rec: 30 segundos 400 metros estilo libre	400 metros estilo libre 4 x 100 rasca pulgar. Rec: 25 segundos 8 x 50 crol con aletas. Rec: 20 seg 4 x 50 espalda doble patada de braza. Rec: 20 segundos 400 metros estilo libre	400 metros estilo libre 4 x 75 crol. Rec: 15 seg 4 x 50 crol punto muerto con tabla. Rec: 25 seg 4 x 50 espalda. Rec: 25 segundos 6 x 50 crol ritmo alto. Rec: 30 segundos 400 metros estilo libre
Nivel muy alto	400 metros estilo libre 4 x 100 crol punto muerto con tabla. Rec: 25 seg 4 x 50 espalda. Rec: 25 segundos 8 x 50 crol ritmo alto. Rec: 30 segundos 400 metros estilo libre	400 metros estilo libre 4 x 100 rasca pulgar. Rec: 25 segundos 10 x 50 crol con aletas. Rec: 20 seg 4 x 50 espalda doble patada simultánea. Rec: 20 segundos 400 metros estilo libre	400 metros estilo libre 4 x 100 crol punto muerto con tabla. Rec: 25 seg 4 x 50 espalda. Rec: 25 segundos 8 x 50 crol ritmo alto. Rec: 30 segundos 400 metros estilo libre

Entrenamiento de natación 50 metros, programa D

Estilo de crol estirando brazada

Vídeos recomendados

- **Estilo braza**: https://youtu.be/_hE-_IsEx-o 
- **Estilo crol**: https://youtu.be/A1D-_iZS6Is 
- **Estilo crol punto muerto tabla**: https://youtu.be/Sf5DmJFbgtw 
- **Estilo crol con palas**: https://youtu.be/aqreG3HnSjA 
- **Estilo espalda**: https://youtu.be/Itt23Cr2X94 
- **Estilo crol rasca pulgar**: https://youtu.be/7LG5Mg-EYCs 
- **Estilo espalda doble simultánea**: https://youtu.be/u38cHW19LOI 
- **Estilo espalda doble patada braza**: https://youtu.be/AOtxjEFrnes 

IMPORTANTE: se debe realizar el test de todas las pruebas físicas antes de comenzar el siguiente programa. Puede que el nivel del opositor haya cambiado.

CAPÍTULO 21

Periodo competitivo específico: programa E

Índice

1. Introducción

Se debe realizar durante el tiempo indicado en el Capítulo 17.

2. Entrenamiento de dominadas

Tener en cuenta:

- **Repeticiones**: 12 de cada uno de los ejercicios. En abdominales y lumbares serán 20. Las dominadas se deben hacer con lastre en caso de que 12 repeticiones sean fáciles. En la trepa de cuerda sin presa de pies se debe subir los máximos metros posibles, teniendo en cuenta que se deben dejar fuerzas para retener la bajada.
- **En circuito**: las vueltas dependerán del nivel obtenido en las pruebas. Ejemplo: 12 repeticiones del ejercicio 1, 12 del ejercicio 2 y 12 del ejercicio 3. Luego se pasa al siguiente grupo de ejercicios 1, 2 y 3. Hay que hacer el número de vueltas correspondiente al nivel obtenido en las pruebas.
- **Series**: dependerá del número de vueltas que se realice el circuito.
- **Intensidad**: alta, que cueste mucho llegar a la última repetición.
- **Recuperación**: entre ejercicios es lo que lleve desplazarse de uno a otro. Entre vueltas es de 1 minuto 30 segundos.
- **Velocidad**: rápida.

ENTRENAMIENTO 1	ENTRENAMIENTO 2	ENTRENAMIENTO 3
1. Dominadas	1. Dominadas	1. Dominadas
2. Abdominales flexión de cadera colgado en barra	2. Abdominales flexión de cadera colgado en barra	2. Abdominales flexión de cadera colgado en barra
3. Lumbares en banco	3. Lumbares en banco	3. Lumbares en banco
1. Trepa de cuerda sin presa de pies	1. Trepa de cuerda sin presa de pies	1. Trepa de cuerda sin presa de pies
2. Encogimientos abdominales tumbado lateral: tronco y una pierna	2. Encogimientos abdominales tumbado lateral: tronco y una pierna	2. Encogimientos abdominales tumbado lateral: tronco y una pierna
3. Flexiones con manos juntas	3. Flexiones con manos juntas	3. Flexiones con manos juntas

Entrenamiento de dominadas y trepa de cuerda, programa E

Trepa de cuerda sin presa de pies

Vídeos recomendados

- **Dominadas**:
  http://youtu.be/POiA-X_sSNI

- **Trepa de cuerda sin presa de pies:**:
  https://www.youtube.com/watch?v=dyLQzFp2MNs

- **Abdominales flexionando cadera con agarre de manos en barra vertical**:
  https://www.youtube.com/watch?v=IgzbICWWUXk

- **Elevación de tronco en banco**:
  http://youtu.be/9HDCJEWka0Y

- **Flexiones con manos juntas**:
  http://youtu.be/tMw-FPD-Ic0

- **Encogimientos laterales tronco y pierna**:
  http://youtu.be/8qTSflautxl

Encogimientos laterales: tronco y una pierna

3. Entrenamiento de press de banca

Tener en cuenta:

- **Repeticiones**: 25 de cada uno de los ejercicios.
- **En circuito**: las vueltas dependerán del nivel obtenido en las pruebas. Ejemplo: 25 repeticiones del ejercicio 1, 25 del ejercicio 2 y 25 del ejercicio 3. Luego se pasa al siguiente grupo de ejercicios 1, 2 y 3. Hay que hacer el número de vueltas correspondiente al nivel obtenido en las pruebas.
- **Series**: dependerá del número de vueltas que se realice en el circuito.
- **Intensidad**: alta, que cueste mucho llegar a la última repetición.
- **Recuperación**: entre ejercicios es lo que lleva desplazarse de uno a otro. Entre vueltas es de 1 minuto 30 segundos.
- **Velocidad**: rápida.

Flexo-extensiones: fase de subida

Flexo-extensiones: fase de bajada

ENTRENAMIENTO 1	ENTRENAMIENTO 2	ENTRENAMIENTO 3
1. Press de banca con barra. Repeticiones al máximo. Mujeres: 25 kg. Hombres 35 kg	1. Flexiones normales. Series de 25 (apoyar rodillas si es necesario)	1. Press de banca con barra. Repeticiones al máximo. Mujeres: 25 kg Hombres 35 kg
2. Abdominales flexión de cadera colgado en barra	2. Abdominales flexión de cadera colgado en barra	2. Abdominales flexión de cadera colgado en barra
3. Lumbares en banco	3. Lumbares en banco	3. Lumbares en banco
1. Press inclinado con barra	1. Press inclinado con barra	1. Press inclinado con barra
2. Encogimientos abdominales tumbado lateral: tronco y una pierna	2. Encogimientos abdominales tumbado lateral: tronco y una pierna	2. Encogimientos abdominales tumbado lateral: tronco y una pierna
3. Flexiones con manos juntas	3. Flexiones con manos juntas	3. Flexiones con manos juntas

Entrenamiento de press de banca programa E

Vídeos recomendados

- **Press banca con barra**: https://www.youtube.com/watch?v=J_FNUFIDlH0

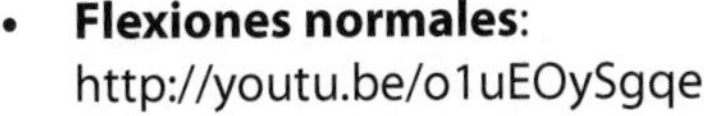

- **Flexiones normales**:
  http://youtu.be/o1uEOySgqel

- **Flexiones con rodillas apoyadas**:
  http://youtu.be/cay0sCjaY2s

- **Abdominales flexionando cadera con agarre de manos en barra vertical**:
  https://www.youtube.com/watch?v=IgzbICWWUXk

- **Elevación de tronco en banco**:
  http://youtu.be/9HDCJEWka0Y

- **Press inclinado con barra**:
  http://youtu.be/CZ8f0_FNV9c

- **Flexiones con manos juntas**:
  http://youtu.be/tMw-FPD-Ic0

- **Encogimientos laterales tronco y pierna**:
  http://youtu.be/8qTSflautxl

4. Entrenamiento de salto horizontal a pies juntos

En este tipo de entrenamiento las consideraciones a tener en cuenta son:

- **Repeticiones**: 12 de cada uno de los ejercicios.
- **En circuito**: las vueltas dependerán del nivel obtenido en las pruebas. Ejemplo: 12 repeticiones del ejercicio 1, 12 del ejercicio 2... así hasta el último y se vuelve a empezar, haciendo el número de vueltas correspondiente al nivel obtenido en las pruebas.
- **Series**: dependerá del número de vueltas en que se realice el circuito.
- **Intensidad**: media, que no cueste llegar a la última repetición.
- **Recuperación**: entre ejercicios, es lo que lleve desplazarse de uno a otro. Entre vueltas, es de 1 minuto 30 segundos.
- **Velocidad**: rápida.

Plancha de codos frontal

ENTRENAMIENTO 1	ENTRENAMIENTO 2	ENTRENAMIENTO 3
1. Saltos de longitud a una pierna	1. Saltos de longitud a una pierna	1. Saltos de longitud a una pierna
2. Plancha de codos frontal	2. Plancha de codos frontal	2. Plancha de codos frontal
3. Saltos de longitud a dos piernas	3. Saltos de longitud a dos piernas	3. Saltos de longitud a dos piernas

Entrenamiento de salto horizontal, programa E

 Vídeos recomendados

- **Plancha de codos frontal**: http://youtu.be/yvqqPxoSwvA 
- **Saltos de longitud a una pierna**: https://www.youtube.com/watch?v=YnKU4rXoQP8 
- **Saltos de longitud a dos piernas**: https://www.youtube.com/watch?v=F2Zl3CuqRto 

5. Entrenamiento de velocidad 100 metros

En este tipo de entrenamiento las consideraciones a tener en cuenta son:

- Intensidad:

  * **Baja**, que no cueste apenas esfuerzo. 60 % de la FCM.
  * **Media**, que permita hablar sin esfuerzo. 70 % de la FCM.
  * **Alta**, que se entrecorten las palabras a la hora de hablar. 80 % de la FCM.
  * **Muy alta**, que sea casi imposible hablar. 90 % de la FCM.

  Ejemplo: persona de 30 años. FCM = 220 - edad = 190 de pulsaciones máximas teóricas por minuto. El 70 % de 190 es 133 pulsaciones/minuto.

  Las denominadas progresiones consisten en una carrera de distancia corta en la que la velocidad se va aumentando progresivamente desde el comienzo hasta el final de dicho espacio a recorrer. Es decir, se comienza corriendo a un ritmo bajo y se va aumentando hasta la intensidad solicitada.

  A diferencia de la progresión, el sprint se realiza a gran velocidad ya desde el principio.

- Recuperación entre progresiones y ejercicios de técnica de carrera: el tiempo que cueste volver caminando al punto de partida.
- Recuperación entre sprints: 2 minutos 30 segundos.
- Estiramientos: al acabar se deben estirar las piernas manteniendo la posición sin hacer rebotes durante 30-40 segundos.

ENTRENAMIENTO	
Nivel muy bajo	10 minutos carrera, intensidad media Técnica de carrera: paso largo 2 series de 25 metros y rodillas arriba 2 series de 25 metros 4 sprints de 80 metros acabando con una intensidad alta 10 minutos carrera, intensidad media
Nivel bajo	10 minutos carrera, intensidad media Técnica de carrera: paso largo 2 series de 25 metros y rodillas arriba 2 series de 25 metros 4 sprints de 80 metros acabando con una intensidad alta 10 minutos carrera, intensidad media

.../...

.../...

Nivel medio	10 minutos carrera, intensidad media Técnica de carrera: paso largo 3 series de 25 metros y rodillas arriba 3 series de 25 metros 5 sprints de 80 metros con una intensidad alta 10 minutos caminando, intensidad media
Nivel alto	15 minutos carrera, intensidad media Técnica de carrera: paso largo 4 series de 25 metros y rodillas arriba 4 series de 25 metros 6 sprints de 80 metros con una intensidad muy alta 15 minutos carrera, intensidad media
Nivel muy alto	15 minutos carrera, intensidad media Técnica de carrera: paso largo 4 series de 25 metros y rodillas arriba 4 series de 25 metros 6 sprints de 80 metros con una intensidad muy alta 15 minutos carrera, intensidad media

Entrenamiento de carrera de 100 metros, programa E

Vídeos recomendados

- **Carrera paso largo**: https://youtu.be/6s3K066ktQs

160.CARRERA - Paso largo

- **Carrera salida sprint**: https://youtu.be/M3cjURMmnF4

6. Entrenamiento de resistencia 2800 o 2650 metros

- **Intensidad:**

    * **Baja**, que no cueste apenas esfuerzo. 60 % de la FCM.
    * **Media**, que permita hablar sin esfuerzo. 70 % de la FCM.
    * **Alta**, que se entrecorten las palabras a la hora de hablar. 80 % de la FCM.
    * **Muy alta**, que sea casi imposible hablar. 90 % de la FCM.

    Ejemplo: persona de 30 años. FCM = 220 - edad = 190 de pulsaciones máximas teóricas por minuto. El 70 % de 190 es 133 pulsaciones/minuto.

- **Estiramientos**: al acabar se debe estirar las piernas manteniendo la posición sin hacer rebotes durante 30-40 segundos.

	ENTRENAMIENTO 1	ENTRENAMIENTO 2	ENTRENAMIENTO 3
Nivel muy bajo	35 min carrera continua, intensidad alta	30 min progresivos: 5 medio, 10 alto, 10 muy alto, 5 medio	35 min carrera continua, intensidad alta
Nivel bajo	10 min medio 2 x 1200 metros alto. Descanso: con 2 min entre series 10 min medio	10 min medio 25 min cambios ritmo: 1 medio-1 alto 5 min medio	40 min progresivos: 10 medio, 15 alto, 10 muy alto, 5 medio
Nivel medio	10 min medio 4 x 1000 metros muy alto. Descanso: con 3 min entre series 10 min medio	45 min progresivos: 10 medio, 15 alto, 15 muy alto, 5 medio 4 progresiones de 80 m acabando a ritmo alto	10 min medio 3 x 1200 metros muy alto. Descanso: con 2 min entre series 10 min medio
Nivel alto	10 min medio 4 x 1000 metros muy alto. Descanso: con 3 min entre series 10 min medio	50 min progresivos: 10 medio, 15 alto, 20 muy alto, 5 medio 4 progresiones de 80 m acabando a ritmo alto	10 min medio 4 x 1200 metros muy alto. Descanso: con 2 min entre series 10 min medio
Nivel muy alto	10 min medio 4 x 1000 metros muy alto. Descanso: con 3 min entre series 10 min medio	55 min progresivos: 10 medio, 20 alto, 20 muy alto, 5 medio 4 progresiones de 80 m acabando a ritmo alto	10 min medio 4 x 1200 metros muy alto. Descanso: con 2 min entre series 10 min medio

Entrenamiento de carrera de fondo, programa E

7. Entrenamiento de natación 50 metros

Observaciones en los entrenamientos de natación:

- Intensidad: media.
- Estilos: vienen determinados. Si pone "estilo libre", significa que es a libre elección (no tiene por qué ser crol).
- Distancia a realizar: viene determinada en metros, aunque solo ponga un dato numérico.
- Recuperación: se hace de forma vertical, dentro del agua pero con los pies apoyados.
- Estiramientos: al acabar se deben estirar los brazos y piernas manteniendo la posición sin hacer rebotes durante 30-40 segundos.

	ENTRENAMIENTO 1	ENTRENAMIENTO 2	ENTRENAMIENTO 3
Nivel muy bajo	50 metros braza 8 x 25 pies crol con tabla 1. Rec: 30 seg 8 x 25 crol. Rec: 30 seg 8 x 25 crol palas. Rec: 30 seg 4 x 50 crol punto muerto con tabla. Rec: 40 seg 50 metros braza	50 metros estilo libre 8 x 25 pies crol con tabla 1. Rec: 30 seg 4 x 50 crol con aletas. Rec: 30 seg 4 x 75 rasca pulgar. Rec: 40 segundos 50 metros estilo libre	50 metros braza 8 x 25 pies crol con tabla 1. Rec: 30 seg 8 x 25 crol. Rec: 30 seg 8 x 25 crol palas. Rec: 30 seg 4 x 50 crol punto muerto con tabla. Rec: 40 seg 50 metros braza
Nivel bajo	100 metros estilo libre 8 x 25 pies crol con tabla 1. Rec: 30 seg 8 x 25 crol palas. Rec: 30 seg 6 x 50 crol punto muerto con tabla. Rec: 40 seg 100 metros estilo libre	100 metros estilo libre 3 x 50 pies crol con tabla 1. Rec: 30 seg 6 x 50 rasca pulgar. Rec: 40 segundos 3 x 50 crol con aletas. Rec: 25 seg 4 x 50 espalda. Rec: 20 segundos 100 metros estilo libre	100 metros estilo libre 8 x 25 pies crol con tabla 1. Rec: 30 seg 8 x 25 crol palas. Rec: 30 seg 6 x 50 crol punto muerto con tabla. Rec: 40 seg 100 metros estilo libre

	ENTRENAMIENTO 1	ENTRENAMIENTO 2	ENTRENAMIENTO 3
Nivel medio	200 metros estilo libre 6 x 50 pies crol con tabla 1. Rec: 25 seg 8 x 25 crol con palas. Rec: 20 seg 4 x 50 crol punto muerto con tabla. Rec: 30 seg 4 x 50 espalda. Rec: 30 segundos 200 metros estilo libre	200 metros estilo libre 4 x 50 pies crol con tabla 1. Rec: 25 seg 4 x 75 rasca pulgar. Rec: 30 segundos 4 x 50 crol con aletas. Rec: 25 seg 4 x 50 espalda. Rec: 20 segundos 200 metros estilo libre	200 metros estilo libre 6 x 50 pies crol con tabla 1. Rec: 25 seg 8 x 25 crol con palas. Rec: 20 seg 4 x 50 crol punto muerto con tabla. Rec: 30 seg 4 x 50 espalda. Rec: 30 segundos 200 metros estilo libre
Nivel alto	200 metros estilo libre 4 x 50 pies crol con tabla 1. Rec: 25 seg 4 x 75 crol. Rec: 15 seg 4 x 50 crol palas. Rec: 25 seg 4 x 50 crol punto muerto con tabla. Rec: 25 seg 4 x 50 espalda. Rec: 25 segundos 6 x 25 crol ritmo alto. Rec: 30 segundos 200 metros estilo libre	200 metros estilo libre 4 x 50 pies crol con tabla 1. Rec: 25 seg 4 x 100 rasca pulgar. Rec: 25 segundos 4 x 50 crol palas. Rec: 25 seg 5 x 50 crol con aletas. Rec: 20 seg 4 x 50 espalda. Rec: 20 segundos 200 metros estilo libre	200 metros estilo libre 4 x 50 pies crol con tabla 1. Rec: 25 seg 4 x 75 crol. Rec: 15 seg 4 x 50 crol palas. Rec: 25 seg 4 x 50 crol punto muerto con tabla. Rec: 25 seg 4 x 50 espalda. Rec: 25 segundos 6 x 25 crol ritmo alto. Rec: 30 segundos 200 metros estilo libre
Nivel muy alto	300 metros estilo libre 4 x 50 pies crol con tabla 1. Rec: 25 seg 4 x 50 crol palas. Rec: 25 seg 4 x 100 crol punto muerto con tabla. Rec: 25 seg 4 x 50 espalda. Rec: 25 segundos 6 x 25 crol ritmo alto. Rec: 30 segundos 300 metros estilo libre	200 metros estilo libre 4 x 50 pies crol con tabla 1. Rec: 25 seg 4 x 100 rasca pulgar. Rec: 25 segundos 4 x 50 crol palas. Rec: 25 seg 5 x 50 crol con aletas. Rec: 20 seg 4 x 50 espalda. Rec: 20 segundos 200 metros estilo libre	300 metros estilo libre 4 x 50 pies crol con tabla 1. Rec: 25 seg 4 x 50 crol palas. Rec: 25 seg 4 x 100 crol punto muerto con tabla. Rec: 25 seg 4 x 50 espalda. Rec: 25 segundos 6 x 25 crol ritmo alto. Rec: 30 segundos 300 metros estilo libre

Entrenamiento de natación 50 metros, programa E

Vídeos recomendados

- **Estilo braza**:
  https://youtu.be/_hE-_IsEx-o

- **Estilo crol**:
  https://youtu.be/A1D-_iZS6Is

- **Estilo crol pies tabla 1**:
  https://youtu.be/OaOVm--6Wws

- **Estilo crol punto muerto tabla**:
  https://youtu.be/Sf5DmJFbgtw

- **Estilo crol con palas**:
  https://youtu.be/aqreG3HnSjA

- **Estilo espalda**:
  https://youtu.be/Itt23Cr2X94

- **Estilo crol rasca pulgar**:
  https://youtu.be/7LG5Mg-EYCs

- **Estilo crol con aletas**:
  https://youtu.be/DEDFrlRotxs

157.NATACION - Estilo Crol (con aletas)

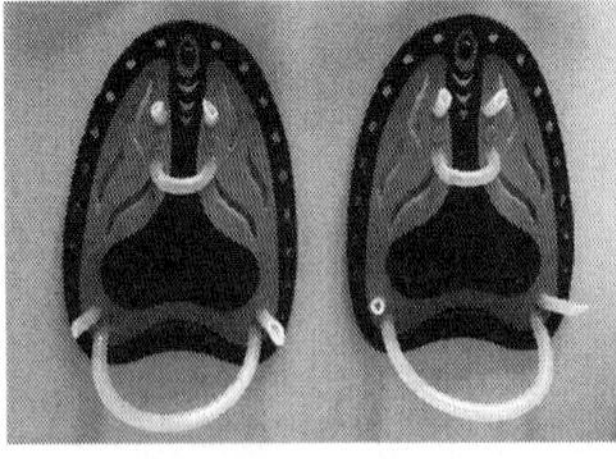

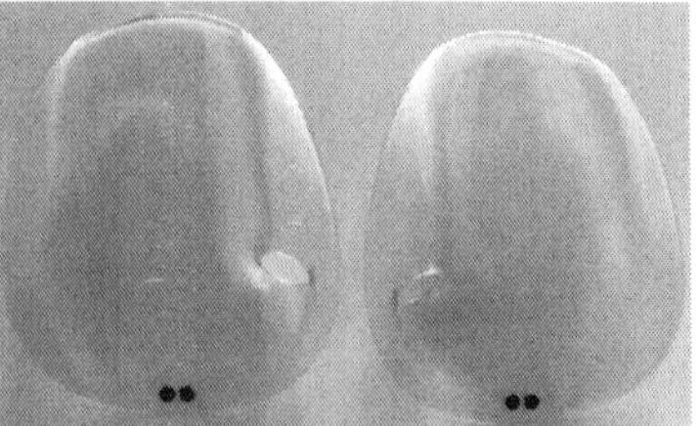

Palas de natación para ejercer más fuerza con los brazos

IMPORTANTE: se debe realizar el test de todas las pruebas físicas para saber el nivel final del opositor y conocer la marca actual antes de presentarse a las pruebas físicas oficiales.

CAPÍTULO 22

Consejos para los días previos a las pruebas

Índice

1. Introducción

Los días previos a las pruebas de aptitud física del examen oficial de acceso a plazas de Técnico de equipo y salvamento, bombero/a, convocadas por AENA, hay que tener en cuenta varios aspectos referentes al entrenamiento y a la alimentación. Es importante hacer una reducción del volumen y la intensidad de los entrenamientos. En cuando a la alimentación, se debe aumentar en la ingesta de hidratos de carbono con el fin de llegar al día de las pruebas físicas con los depósitos de glucógeno muscular y hepático bien llenos. De esta forma, el opositor estará descansado y con energía para realizar las cuatro pruebas físicas.

2. Entrenamientos

Durante los 3 días previos a dicha prueba, cada opositor deberá modificar tanto su entrenamiento como su alimentación. El objetivo es llegar más descansado a las pruebas físicas y con toda la energía posible. Para ello, habrá una reducción del volumen y la intensidad de los entrenamientos.

	3.er día previo	2.º día previo	Día previo
Dominadas	Entrenar con normalidad	Reducir 2 vueltas del circuito	No hacer musculación. Especial dedicación a los estiramientos
Press de banca	Entrenar con normalidad	Reducir 2 vueltas del circuito	No hacer musculación. Especial dedicación a los estiramientos
Salto horizontal	Entrenar con normalidad	Reducir 2 vueltas del circuito	No hacer musculación. Especial dedicación a los estiramientos
Trepa de cuerda	Entrenar con normalidad	Reducir 2 vueltas del circuito	No hacer musculación.
Carrera 100 metros	Entrenar con normalidad	15 min Carrera continua 4 progresiones de 50 metros acabando a ritmo alto 15 min Carrera continua	10 min Carrera continua 2 progresiones de 50 metros acabando a ritmo alto 10 min Carrera continua Especial dedicación a los estiramientos

Carrera 2800 O 2650 metros	Entrenar con normalidad	30 min Carrera continua	15 min Carrera continua. Especial dedicación a los estiramientos
Natación 50 metros	Entrenar con normalidad	200 metros crol 4 x 50 metros a ritmo alto: Rec: 45 segundos 200 metros crol	400 metros crol descansado si es necesario Especial dedicación a los estiramientos

Entrenamientos en los días previos a las pruebas físicas oficiales

Principales estiramientos de piernas

Principales estiramientos de tronco y brazo

3. Alimentación

 Sabías que...

Durante el periodo de mediados del siglo XX, durante la Guerra Fría, la Unión Soviética tuvo en secreto estudios nutricionales y dietéticos con el objetivo de lograr la "supremacía en el deporte" de sus atletas, hecho que revelaban en los sucesivos Juegos Olímpicos de aquella época.

	3er día previo	2º día previo	Día previo
Desayuno	Alto en hidratos de carbono	Alto en hidratos de carbono	Alto en hidratos de carbono
Almuerzo	Más fruta y líquidos	Más fruta y líquidos	Más fruta y líquidos
Comida	Alta en hidratos de carbono	Alta en hidratos de carbono	Alta en hidratos de carbono
Merienda	Más fruta y líquidos	Más fruta y líquidos	Más fruta y líquidos
Cena	Alta en hidratos de carbono	Alta en hidratos de carbono	Alta en hidratos de carbono

Pautas alimenticias en los días previos a las pruebas físicas oficiales

Durante los tres días previos es importante aumentar la ingesta de hidratos de carbono complejos (arroz, pasta, patata, pan...) con el fin de reponer el glucógeno muscular y hepático para realizar las pruebas con toda la energía acumulada posible.

Recuerda que...

El músculo y el hígado tienen almacenada energía en forma de glucógeno y eso será lo que prime a la hora de suministrar energía en el ejercicio físico.

Principales fuentes de hidratos de carbono complejos

Asimismo, también se recomienda beber gran cantidad de agua y bebidas isotónicas para tener bien hidratados los músculos y evitar calambres o un bajo rendimiento por deshidratación.

 Sabías que...

El músculo está formado por un 75 % de agua. Por esta razón es tan importante mantener el cuerpo hidratado. De esta forma, la musculatura no mermará su rendimiento.

Benardot incide en que *"Es importante beber abundante líquido que contenga carbohidratos durante el ejercicio. Es conveniente consumir al menos 400 calorías de carbohidratos inmediatamente después del entrenamiento. Este es el primer intento de que sus músculos reemplacen el glucógeno muscular que había perdido durante el ejercicio".*

Un **masaje de descarga muscular** es una buena opción para llegar fresco el día de las pruebas, pero deberá llevarse a cabo con tres días de anterioridad, como mínimo, para poder reactivar de nuevo los músculos.

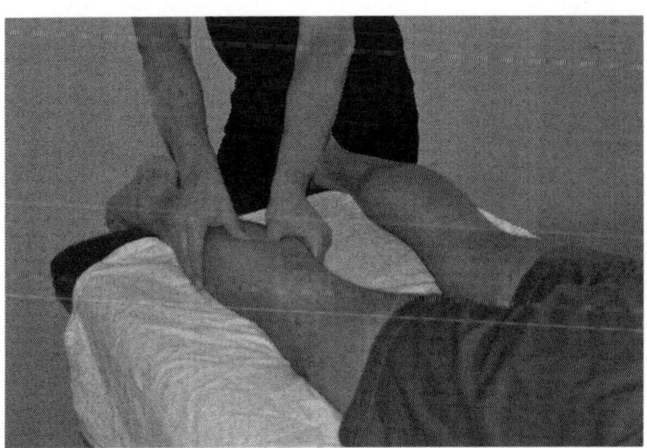

Masaje antes de las pruebas físicas

El mismo día de la prueba no se debe cambiar la rutina del desayuno. Se recomienda consumir lo de siempre. Ese día no es momento para experimentar. Si se quiere **probar algún alimento o suplemento nutricional nuevo**, se deberá hacer con anterioridad para ver los resultados obtenidos con ello.

Hay que tener en cuenta el tiempo que va a pasar desde el desayuno hasta la ejecución de las pruebas físicas. Los aspirantes pueden ser citados a una hora de la mañana, pero ser examinados más tarde. Por lo tanto, se deberá llevar algún alimento encima, como puede ser una barrita energética.

CAPÍTULO 23

Trucos para el día del examen oficial

Índice

1. Introducción
2. Dominadas
3. Trepa de cuerda
4. Press de banca
5. Salto horizontal a pies juntos
6. Carrera de velocidad 100 metros
7. Carrera de resistencia 2800 o 2650 metros
8. Natación 50 metros

1. Introducción

Las oposiciones para el ingreso en el Cuerpo de Bomberos se caracterizan por tener unas pruebas físicas muy exigentes. Una correcta preparación física es fundamental para afrontar con éxito dichas pruebas.

En las convocatorias hay un número de pruebas físicas elevado. El día o días de dichas pruebas es importante hacer un buen calentamiento, con ejercicios de movilidad articular, carrera de activación muscular y algún estiramiento dinámico. De esta forma, los músculos están activos y se minimiza el riesgo de lesión.

 Recuerda que...

La prueba de 100 metros corriendo tiene una gran exigencia a nivel muscular y es importante haber hecho un calentamiento previo para evitar posibles lesiones, como tirones, roturas de fibras, esguinces, etc.

- **Carrera rodillas arriba**: https://youtu.be/UFaOSRA7Rsg 
- **Carrera talones atrás**: https://youtu.be/dTscAQ-ONW8 
- **Carrera salida sprint**: https://youtu.be/M3cjURMmnF4 

2. Dominadas

Se recomienda entrenarlas practicando diferentes anchuras de agarre, siempre respetando la pronación de las manos (dedos hacia el frente). A mayor distancia entre manos, menor recorrido. A menor separación, mayor recorrido. No obstante, la anchura mínima del agarre es ligeramente superior a la anchura de los hombros.

Dependiendo de las normas de cada convocatoria, se puede realizar la prueba con los **pies descalzos**, con el fin de liberar un poco más de peso.

También puede existir la posibilidad de soltar una de las dos manos para relajar el brazo, pero siempre debe evitarse tocar el suelo o las barras laterales. Asimismo, puede hacerse lo mismo con el otro brazo para darle también un descanso. Esta es una estrategia que puede compensar a una pequeña proporción de opositores, normalmente suelen ser los de menor peso corporal.

Guantes

3. Trepa de cuerda

Esta prueba sirve para determinar la fuerza flexora del tren superior. El opositor debe ponerse de pie, junto a la cuerda. De esta forma, debe agarrarla a una altura máxima de 2 metros respecto al suelo para que la posición de comienzo sea válida. Se recomienda que la distancia de agarre entre las manos sea de, al menos, un palmo. También es aconsejable que ambos codos estén ligeramente flexionados, con el fin de realizar unas primeras brazadas con potencia.

La patada con piernas ligeramente elevadas también va a ayudar en la trepa de cuerda.

Se recomiendan movimientos rápidos y explosivas para evitar en la medida de lo posible que se acumule cansancio muscular. Así, también se consigue realizar de una forma rápida dicho ascenso y tocar la campana que hace que se pare el cronómetro.

Agarre inicial en la prueba de trepa de cuerda

Acción de tocar la campana para detener el cronómetro

4. Press de banca

La prueba de fuerza extensora de brazos se realiza tumbado boca arriba sobre un banco plano. El opositor debe colocarse de forma que la parte superior de su pecho quede justo por debajo de la vertical de la barra. De esta forma, las repeticiones podrán ser realizadas de forma más cómoda.

La primera repetición se cuenta desde la posición de extensión de brazos, una vez que se baja la barra y se vuelve a subir.

Examen de press de banca

Para que el examinador dé por válidas todas las repeticiones es necesario que sean realizadas en todo su recorrido, bajando y subiendo por completo.

No es necesario bloquear la articulación de codo en la fase de ascenso. Es suficiente con marcar la extensión del brazo y volver a bajar flexionándolo, hasta que la barra toque el pecho.

5. Salto horizontal a pies juntos

Los examinadores suelen dejar una primera ronda de prueba, en la que los opositores saltan una vez en la colchoneta que lleva las marcas a obtener en cada uno de los niveles.

Es muy importante el balanceo de brazos por detrás de la vertical del cuerpo y su posterior elevación por delante otra vez. Ello dará más impulso a la hora de saltar.

Conviene realizar un pequeño calentamiento y estiramientos de piernas, con el fin de que los músculos hayan irrigado sangre y que tengan mayor fuerza elástica.

Dado que es una prueba en la que se permiten **2 intentos**, se puede arriesgar en el primero para intentar lograr una buena marca. En el caso de no superar la marca en el primer intento, el examinador permite un descanso antes de realizar el segundo salto.

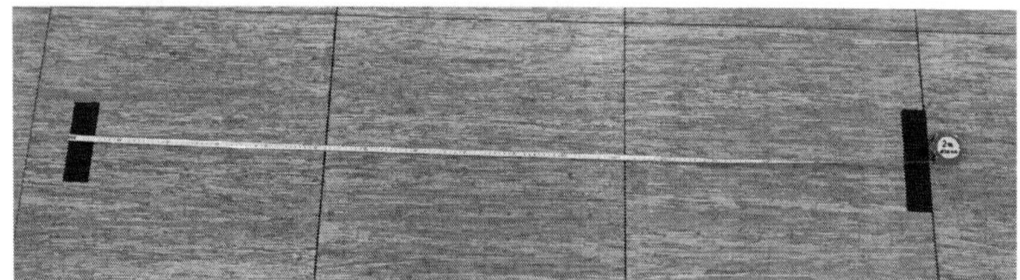

Marca solicitada

6. Velocidad 100 metros

La prueba de velocidad se realiza en grupos de 5-6 personas en una pista de atletismo en la que el suelo es de cemento. Es importante haber hecho un calentamiento previo para evitar lesiones (sobre todo, si no se ha realizado antes la prueba de carrera de resistencia). Se deben aumentar las pulsaciones en el calentamiento con el fin de conseguir una activación justo antes del sprint.

La salida de esta prueba se realiza en el comienzo de una recta. Cada aspirante se sitúa en su respectiva calle y no debe invadir la de ningún otro participante. Se recomienda estar en una posición alerta, de forma agrupada, con una pierna adelantada y otra atrasada.

7. Resistencia 2800 o 2650 metros

Para la realización de esta prueba se forman grupos de 8-10 aspirantes que tendrán que realizar dos vueltas y media a una pista de atletismo de cemento.

En esta prueba será de vital importancia controlar la respiración y, con ello, las pulsaciones cardíacas. El aire se debe inspirar por la nariz (oxígeno) y espirar por la boca (dióxido de carbono). Las **respiraciones** deberán ser **profundas y controladas**. Esto evitará la aparición de flatos.

Para una buena **estrategia del ritmo de carrera**, se aconseja realizar la prueba con un reloj cronómetro. Así se podrá controlar la velocidad con la que se desarrolla esta prueba. Hay aspirantes a los que le va bien comenzar de menos a más y, por el contrario, otros prefieren empezar a ritmo elevado y aguantar como bien puedan. Al llevar el **cronómetro en la muñeca**, se asegura uno que va a un ritmo dentro de sus posibilidades. Todos saben el tiempo que suelen tardar en recorrer la distancia del kilómetro. La estrategia de carrera consiste en llevar previsto el tiempo al que se debe pasar por los 400, 600, 800, 1200, 1600, 2000 y 2400 metros. Es decir, cada vuelta de 400 a la pista de atletismo y sus parciales acumulados.

Recuerda que...

La carrera de resistencia se realiza en un recorrido de 400 metros. Por tanto, para cubrir la distancia, se deben realizar sobre 6-7 vueltas, según el aspirante sea hombre o mujer.

Para su realización, en algunas convocatorias está permitido el uso de un **reproductor de música**. Es por ello que llevar una o dos canciones motivantes puede producir un buen resultado.

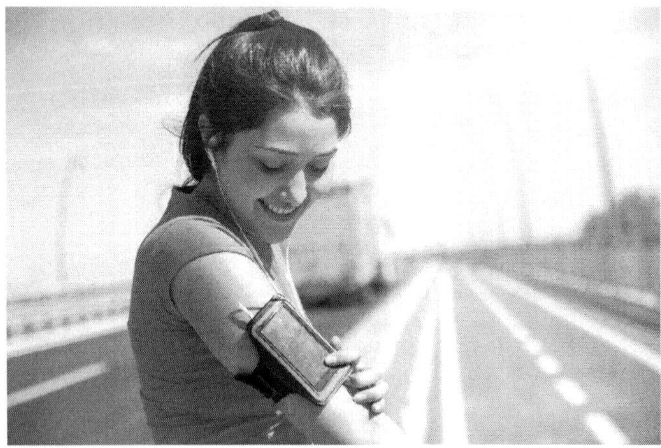

Sabías que...

Hay estudios que corroboran que la música ayuda a inhibir la sensación de fatiga durante el ejercicio aeróbico.

Esta es una prueba en la que se suelen producir tiempos récord respecto a los test realizados, ya que en el mismo día de los exámenes hay un factor de motivación alto y una descarga de adrenalina.

Examen de carrera

8. Natación 50 metros

Esta prueba se suele realizar en una piscina de 25 metros. Por consiguiente, se debe realizar un largo de ida y otro de vuelta.

Los opositores son llamados en grupos de 6-8 personas. Cada uno se colocará en una calle.

La salida se realiza desde el borde de la piscina. La entrada al agua se recomienda que sea en forma de salto de cabeza para ganar tiempo y economizar energía. Hay que lanzarse a lo largo, pero con cuidado de no darse un planchazo. Los saltos en picado hacen que el aspirante se dirija hacia el fondo, produciéndose con ello una pérdida de tiempo.

Después de nadar los 25 metros se debe tocar la pared y cambiar de sentido para volver al punto de partida.

El cronómetro se para una vez que cada nadador toca un pulsador que hay en la pared de llegada.

En el caso de que la piscina sea de 50 metros, la diferencia fundamental es que no existirá el viraje o giro contra la pared.

Recuerda que...

El estilo de natación más rápido es el crol y con él se debe sacar la cabeza lateralmente para realizar las respiraciones necesarias.

Nadador en el borde de la piscina

BIBLIOGRAFÍA

- Abellán. J., Sainz. P., Ortín. E.J.: *Guía para la preinscripción de ejercicio físico.* SEH - LELH
- Benardot, D.: *Nutrición para deportistas de alto nivel.* Editorial Hispano Europea. Barcelona, 2001.
- Calais-Germain, B.: *Anatomía para el movimiento.* Editorial La Liebre de Marzo. Barcelona, 2002.
- Grosser, M., Startischka, S., & Zimmermann, E.: *Principios del entrenamiento deportivo.* Editorial Martínez Roca, Barcelona, 1988.
- Matvéiev, L.: *El proceso del entrenamiento deportivo.* Editorial Stadium, Argentina.
- McAtee, R.E. y Charland, J.: *Estiramientos facilitados.* Editorial Paidotribo. Barcelona, 2000.
- Pancorbo, S.A.: *Medicina del Deporte.* Editorial: EDUCS. Brasil, 2002.
- Thibadeau, C.: *El libro negro de los secretos del entrenamiento.* Editorial F. Lepine.